NÓMADAS DEL NORTE

OBRAS DEL MISMO AUTOR PUBLICADAS POR «EDITORIAL JUVENTUD»

EL ÁNGEL DE PERIBONKA
EL ANTIGUO CAMINO
LA ATRACCIÓN DEL ABISMO
EL BOSQUE EN LLAMAS
LOS BUSCADORES DE ORO
EL CABALLERO DEL VALOR
EL CAZADOR NEGRO
LOS CAZADORES DE LOBOS
CENTELLA
CORAZONES DE HIELO
DONDE EL RÍO NACE
FLOR DEL NORTE
FUERA DE LA LEY
LA GLORIA DE VIVIR
EN LOS GRANDES LAGOS
EL HOMBRE DE ALASKA
EL HONOR DEL DESIERTO BLANCO
KAZÁN, PERRO LOBO
BARI, HIJO DE KAZÁN
EL LAZO DE ORO
LAS LLANURAS DE ABRAHAM
LA MUJER ACORRALADA
EL RETRATO
EL REY DE LOS OSOS
LA SENDA PELIGROSA
LA TRAGEDIA DE LA SELVA
EL VALOR DEL CAPITÁN PLUM
EL VALLE DE LOS HOMBRES SILENCIOSOS

JAMES O. CURWOOD

NÓMADAS DEL NORTE

EDITORIAL JUVENTUD, S. A.
PROVENZA, 101 - BARCELONA

Título original: NOMADS OF THE NORTH
Traducción de José Fernández

Sexta edición, 1981
Depósito Legal, B.9167-1981
ISBN 84-261-0842-3
Núm. de edición de E. J.: 6.558
Impreso en España - Printed in Spain
S. A. I. Gráfica, Pasaje Estadella, HOSPITALET

Capítulo Primero

NIVA, EL OSEZNO

Fue hacia el fin de mes de marzo, al terminar la llamada *Luna del Águila,* cuando *Niva,* el osezno negro, vio en realidad el mundo por primera vez.

Su madre, *Nuzak,* estaba llena de reuma y de achaques, y, como les sucede a los viejos, gustaba dormir durante mucho tiempo. Aquel invierno en que nació *Niva,* en lugar de su sueño ordinario de un trimestre, se había concedido uno de cuatro meses, de modo que el osezno, nacido mientras su madre estaba aletargada y sumida en la semiinconsciencia, tenía no seis semanas, sino algo más de dos meses cuando los dos salieron de su guarida.

Nuzak había escogido su guarida en la cima de una colina alta y estéril; desde allí fue desde donde *Niva* lanzó su primera mirada al valle; durante unos instantes permaneció como absorto por aquel súbito cambio de la oscuridad a la luz, oyendo, olfateando y tocando muchas cosas antes de que sus ojos pudieran verlas realmente. Y *Nuzak,* un poco sorprendida de encontrar fuera el calor y la luz de un sol radiante en vez de brumas invernales, permaneció a su vez durante muchos minutos aspirando la brisa vivificadora de los bosques y observando sus extensos dominios.

Desde hacía quince días, una primavera prematura había transformado aquella comarca maravillosa que se extiende entre la parte septentrional del Jackson's Knee y el río Shamattawa, y, de Norte a Sur, entre el God's Lake y el Churchill. Desde la cima rocosa en que ellos se encontraban, y que dominaba un inmenso valle, aquel mundo espléndido aparecía como un océano de luz, moteado de puntos blancos en aquellos sitios en que los vientos invernales habían acumulado la nieve. Por todas partes, hasta perderse de vista, un ojo humano habría podido descubrir numerosos islotes azules y verdes que señalaban los bosques sombríos, sabanas de agua verde que indicaban los lagos helados a medias todavía, y cintas de plata que eran ríos y riachuelos donde se quebraba la luz del sol, y llanuras cubiertas de un verde tierno, de las que subía el perfume de la tierra. Estos perfumes llegaban como un tónico hasta las narices de la osa madre, haciéndole comprender con intenso gozo que el suelo, allá abajo, estaba ya henchido de vida nueva. Los botones de los álamos estaban ya estallando de savia; el *humus* de los prados se festoneaba de un césped nuevo y tierno; las ramas de los arbustos, las matillas jóvenes, estaban repletas de jugos de azúcar; y las violetas silvestres, los helechos, los tréboles se alzaban, ya muy crecidos, hacia el cielo y el sol, balanceándose lentamente por el beso de la brisa suave, como invitando a *Nuzak* y a *Niva* al festín. *Nuzak,* con la experiencia de sus veinte años de vida, distinguía perfectamente los perfumes en aquella ola vigorosa de olores que subía hasta ellos... El aire le traía el perfume delicioso y fuerte de los pinos y los abetos, el aroma húmedo y azucarado de los nenúfares y de los gruesos bulbos que crecían en un lapachar situado al pie mismo de la colina; y, dominando todos los otros olores, como envolviendo la ola de perfumes en un perfume más hondo e intenso, el olor de la tierra misma.

Niva también percibía todo esto. Su joven cuerpecillo se estremecía y vibraba por primera vez por la excitación de la vida. Apenas salido de la oscuridad de su cueva, se encontraba en un mundo de cuyas maravillas ningún sueño anterior podía haberle dado una idea. En pocos minutos, la Naturaleza obraba en él un cambio admirable. A falta de conocimientos adquiridos, poseía el instinto. Sabía ya que aquél era su dominio, que el sol y los dulces rayos llenos de tibieza habían sido hechos para él, y que las cosas todas de la tierra, las flores y las plantas eran su propia herencia y le invitaban a un perpetuo festín. Arrugaba su naricilla aún tierna, aspirando el aire y percibiendo ávidamente todo lo que el viento traía hasta él cargado de promesas.

Y escuchaba también. Sus orejillas puntiagudas se habían puesto rígidas y dirigidas hacia delante, percibiendo todos los dulces rumores del despertar de la tierra. Las mismas hierbas parecían cantar de placer profundo, estremeciéndose hasta las raíces; porque de todo el valle, que reía bajo los rayos de oro del sol, emanaba un murmullo profundo y musical: la clásica armonía de los parajes solitarios y llenos de paz, no turbados por la vida humana. Por todas partes susurraban hilillos de agua, y el osezno distinguía otros rumores extraños, que adivinaba eran producidos por seres vivientes (el suave piar de una alondra, el canto argentino de un verderón oculto entre los matorrales del lapachar, el himno vibrante de un cuervo del Canadá, de suntuosos colores, que buscaba un lugar a propósito para anidar en un bosquecillo espeso de cedros). Luego, de repente, un grito agudo resonó sobre su cabeza, haciendo estremecer al osezno, cuyo instinto habíale advertido el peligro. *Nuzak,* la dulce madre, levantó tranquilamente los ojos, y vio pasar la gran sombra de *Upisk,* la gran águila, que se deslizaba majestuosamente entre el sol y la tierra. Y el pequeñuelo, al ver a su vez la sombra de la reina de las alturas, con instintivo terror se acercó, encogido, a su madre, poniéndose bajo su protección.

Nuzak, a pesar de su edad avanzada (que habíale debilitado la vista, hecho perder la mitad de sus dientes y que los huesos le dolieran durante las frías noches del invierno), no era tan vieja, sin embargo, para que no experimentase, a la vista de aquel mundo espléndido, un hondo estremecimiento de alegría. Su espíritu viajaba ya muy lejos del valle en que acababan de despertarse. Por encima de los bosques frondosos, más allá del valle que limitaba el horizonte, al otro lado del río y de las llanuras, extendíanse los espacios ilimitados que ella había escogido como dominio. Y escuchaba, viniendo de muy lejos, un rumor imperceptible aún para el joven oído de *Niva:* el sordo rumor de la gran catarata. Y aquel ruido lejano, extendiéndose como en sordina por encima del valle, parecía dominar los otros rumores, componiendo, con el leve suspiro de la brisa de los árboles, la dulce canción de la primavera.

Al fin, *Nuzak* lanzó dos chorros de vapor por sus

narices dilatadas; luego, un leve rugido para advertir a *Niva,* y, echando a andar delante de su cachorro, comenzó a descender la colina lentamente por el camino flanqueado de rocas.

En el valle dorado por el sol aún hacía más calor que en la cresta áspera de la colina. La osa madre se dirigió primero al borde de la laguna. Media docena de pájaros se alzaron graznando de entre las cañas y la maleza de la orilla, haciendo al osezno estremecerse de miedo. *Nuzak* no prestó la menor atención al incidente. Un martinete gigantesco, de los que se sumergen en las aguas de los estanques para pescar al vuelo pequeños pececillos, huyó a través del espacio al aparecer los osos, lanzando un grito tan agudo que el osezno sintió que se le erizaban los pelos de la espina dorsal. También esta vez permaneció indiferente la osa madre. *Niva* observaba todos estos fenómenos con la vista fija en la osa; el instinto habíale puesto ya como alas en los pies, para escapar como un rayo a la más pequeña señal de peligro que diera *Nuzak.* En su embrionaria imaginación germinaba la idea de que su madre era una criatura maravillosa. Era, con mucho, la mayor de las cosas vivientes, es decir, de las cosas que se sostenían sobre patas y que andaban. Esta creencia le duró tan sólo unos pocos minutos, hasta que llegaron al borde mismo del lapachar, porque, al acercarse ellos, se produjo de repente un ruido espantoso de ramas y hojas desgarradas, seguido de un chapoteo continuado en el agua, y un cuerpo enorme, una monstruosa anta macho, cuatro veces más grande que *Nuzak,* salió huyendo en precipitada carrera. Los ojos del pequeño cachorro casi se salieron de las órbitas. *¡Y tampoco esta vez su madre* Nuzak *prestó la menor atención al incidente!*

Entonces *Niva,* arrugando su naricilla, se puso a gruñir como gruñía en el fondo de la caverna junto a las orejas de su madre o sobre las matillas que les servían de lecho. Un glorioso entendimiento acababa de surgir en él: podía gruñir cuanto quisiera ante cualquier clase de animales, puesto que todo cuanto vivía, fuera cual fuese su tamaño, huía despavorido de terror ante su madre.

En aquel día glorioso, *Niva* descubrió un sinfín de

cosas, y a cada hora que pasaba iba aumentando su certeza de que *Nuzak* era la dueña absoluta de aquel extenso dominio, nuevo y lleno de sol.

La osa, con la prudente experiencia de la maternidad, pues había sido madre quince o dieciocho veces, no quiso andar mucho el primer día, a fin de dejar que las tiernas plantas de los pies y manos de su cachorro se endurecieran poco a poco, por lo cual apenas se separaron de los alrededores del lapachar. Visitaron solamente un bosquecillo cercano donde *Nuzak* destrozó con las garras un abeto joven para lamer la savia, pegajosa y azucarada, que circulaba bajo la corteza. Después de su comida, compuesta de raíces tiernas y de bulbos, este postre fue muy apreciado por *Niva,* que se puso a destrozar otro arbolillo por su cuenta. Hacia el mediodía, *Nuzak* había comido tanto que sus flancos se hincharon enormemente, y el osezno, atiborrado a su vez de leche materna y de jugo de mil plantas, parecía una bola de pelos que rodara sobre el césped. Luego, la vieja, perezosa, buscó para echar la siesta una gran roca abrigada contra los vientos del Norte, donde los rayos del sol formaban un grato horno..., y mientras tanto, el osezno *Niva,* habiendo salido en busca de aventuras, se encontró frente a frente de un escarabajo feroz y monstruoso.

El insecto era un coleóptero de dos pulgadas de largo. Sus dos antenas de combate, de un negro de azabache, se encorvaban en la punta, semejantes a un garfio de hierro, mientras que el resto del cuerpo, de un tono dorado, relucía a la luz solar como una armadura metálica. *Niva,* agachado hasta rozar la tierra con su panza, le miraba, mientras su corazón latía con violencia. ¡El escarabajo no estaba más que a un pie de distancia de su morro... *y seguía avanzando!* Lo más peliagudo y delicado del asunto era esto: de todas las criaturas encontradas hasta aquel instante durante la jornada gloriosa, aquélla era la primera que no huía. Al avanzar sobre su doble hilera de patas, el animal producía un ligero chirrido metálico que el osezno percibía muy distintamente. *Niva,* dispuesto a la aventura, porque por sus venas circulaba la sangre agresiva y batalladora de *Suminitik,* su padre, se decidió entonces a alargar su pata hacia delante, lo que hizo que el escarabajo adquiriese un aspecto terrible. Sus alas comenzaron a lanzar un rumor semejante al de una sierra mecánica, sus antenas de combate se abrieron lo suficiente para abarcar el dedo de un hombre, y se puso a vibrar sobre sus patas como si ejecutara una extraña danza. *Niva* retiró vivamente su pata. Al cabo de unos instantes *Segavase* se calmó, *¡pero continuó avanzando!*

Naturalmente, *Niva* ignoraba que el campo visual del minúsculo animalejo no iba más allá de cuatro pulgadas. Esto era lo que complicaba la situación. Pero hubiera sido una cosa contra natura que un hijo del guerrero *Suminitik* huyese ante no importa qué clase de enemigos, aun no contando aquél más que nueve semanas. Decidido, pues, a todo, alargó de nuevo la pata, mas el enemigo quedó desgraciadamente fuera de combate: una de las uñas del osezno se enganchó en las patas del escarabajo, que dio una vuelta de campana, quedando de espaldas sobre el suelo, incapaz de lanzar su rumor de rabia ni de accionar con sus antenas. *Niva* experimentó una sensación de gozo infinito. Luego, pulgada a pulgada, fue acercando la pata al enemigo impotente, hasta que le tuvo al alcance de sus agudos dientes. Entonces, lo olfateó.

La ocasión era demasiado propicia para que el escarabajo la desperdiciara: cerró de pronto sus pinzas de combate cogiendo el morro del osezno, y el sueño de *Nuzak* se vio turbado por un rugido de angustia. Cuando la osa levantó la cabeza pudo ver a su cachorro revolcándose en tierra, como si estuviera atacado de convulsiones, arañando, gruñendo y rugiendo a la vez. La madre le observó pensativamente durante unos instantes; luego se levantó y marchó hacia él con lentitud. El osezno se había levantado, pero continuaba rugiendo. Con una de sus patazas, *Nuzak* le derribó de nuevo a tierra, echándolo de espaldas, y entonces pudo ver al escarabajo fuertemente agarrado al morrito de su pequeñuelo. Aplastando a *Niva* contra el suelo, para que no se pudiese mover, cogió al insecto entre sus dientes, apretándolo poco a poco hasta que soltó su presa, y luego se lo tragó.

Hasta el crepúsculo, *Niva* estuvo ocupado en cuidar

su morro dolorido. Un poco antes de caer la tarde, *Nuzak* condujo de nuevo a su pequeñuelo al fondo de la cueva, y el osezno, luego de haber mamado, se acurrucó dulcemente en el regazo de la madre. A pesar de su morro dolorido, era un osezno feliz. Había observado muchas cosas, y si no salió por completo victorioso, habíase al menos comportado valientemente en el curso de aquella jornada.

Capítulo II

LA PRIMERA BATALLA

Aquella noche, *Niva* tuvo un fuerte ataque de *Mistupuyu* o mal de estómago. Imaginaos un niño de teta, pasando, sin transición, a comer un bistec: esto es lo que había hecho aquel día el osezno. Obedeciendo *a las leyes de la Naturaleza, el cachorrillo no debería* haber empezado a comer aquellos alimentos sólidos hasta pasado otro mes, por lo menos. Pero la misma Naturaleza parecía haber emprendido con él un procedimiento de educación intensiva, destinada a prepararle para las luchas violentas y desiguales que tendría que sostener poco más tarde. Durante mucho tiempo estuvo gimiendo de dolor, mientras su madre le frotaba con el morro el vientre hinchado; al fin pudo devolver parte de la comida, y, encontrándose mejor, se durmió.

Al despertar, se quedó maravillado: sus ojos contemplaron el intenso relucir de un brasero enorme. Ayer había podido ver el sol, dorado, brillante y ya muy alto en el horizonte; pero hoy era la primera vez que veía el disco luminoso surgir en lontananza, al borde mismo del mundo, en aquella mañana de primavera, en un país del Norte. Rojo como sangre, el astro rey surgió con calmosa majestad; luego pareció aplastarse, haciéndose cada vez más brillante, y al fin se transformó en una bola enorme, que le pareció al osezno que era *algo viviente*. Sí; al principio creyó el cachorrillo que era algo de la vida, una criatura monstruosa que volaba sobre el bosque y las llanuras, acercándose hacia ellos; inquieto, volvióse hacia su madre lanzando un leve gemido interrogador. Pero la osa madre no mostraba miedo alguno: con su enorme cabeza vuelta hacia el astro luminoso y misterioso, entornaba los ojos con expresión de profunda beatitud. Entonces fue cuando *Niva* comenzó a sentir el dulce calor de aquella cosa, y, a pesar de su inquietud de momentos antes, se puso a lanzar pequeños rugidos de satisfacción. De rojo que era, el sol se tornaba dorado, de un dorado de trigo maduro, y pronto el valle entero se transformó nuevamente en una decoración magnífica, tibia y dulce y como vibrante de vida nueva.

Después de este primer despertar de la vida de *Niva, Nuzak* permaneció aún quince días en las cercanías de la colina y del estanque. Luego se encaminó hacia los lejanos y sombríos bosques donde acostumbraba pasar el verano, después de una larga peregrinación. *Niva* tenía ya once semanas. Sus pies habíanse endurecido suficientemente, y pesaba sus buenas seis libras, lo que no estaba mal, teniendo en cuenta que al nacer pesaba doce onzas solamente.

Desde el día en que *Nuzak* emprendió su *tournée* de vagabundaje, empezaron las verdaderas aventuras del osezno *Niva*. El fondo de los bosques estaba aún lleno de sombra, y la nieve se amontonaba en muchos sitios, lo que hacía al cachorrillo echar de menos el hermoso valle lleno de sol donde naciera.

Pasaron cerca de la catarata, y los ojos de *Niva* pudieron contemplar por primera vez el furor de las aguas torrenciales. El bosque se hacía cada vez más lóbrego y sombrío, a medida que *Nuzak* avanzaba. Allí fue donde el osezno recibió sus primeras lecciones de caza. La osa había sabido conducir a su hijuelo hasta las líneas de separación del Jackson's Knee y del Shamattawa, en los llamados *fondos*, donde los osos encuentran una caza de primer orden al principio de la primavera.

Apenas despierta, infatigable, poníase a la busca y captura de los alimentos, escarbando el suelo, volteando las piedras, lamiendo y buceando en los troncos carcomidos, donde solían encontrarse colmenas salvajes. Los ratoncillos grises de bosque, a pesar de su talla minúscula, constituían su *plato* de resistencia, y *Niva* estaba maravillado de ver la rapidez increíble que desplegaba su madre cuando descubría una de aquellas pequeñas criaturas. De vez en cuando *Nuzak* capturaba familias enteras de ratoncillos, sin que se escapara uno solo de sus miembros. A este alimento ordinario se agregaban con frecuencia ranas y sapos, todavía aletargados por el sueño invernal; hormigas gigantes, hechas una bola, aún dormidas en el fondo de troncos carcomidos, y, a veces, también abejas salvajes, avispas y colonias de otros insectos semejantes. *Niva* tomaba a veces su parte de todas estas golosinas. El tercer día, *Nuzak* descubrió un hormiguero gigante, convertido en una masa sólida de los negros insectos, y helado; era tan grande como dos puños humanos. *Niva* comió una parte del rico hallazgo, gustándole sobremanera aquel grato sabor, a la vez dulce y ácido, del hormiguero.

A medida que el calor avanzaba y que los animales restantes iban saliendo de los huecos de los troncos y de debajo de las piedras, *Niva* fue conociendo la alegría excitante de cazar por su propia cuenta. Encontró un segundo escarabajo y lo mató. Luego cazó su primer ratoncillo de bosque. Rápidamente se desarrollaban en él los instintos sanguinarios y combativos de su padre *Suminitik,* el viejo luchador, que vivía tres o cuatro valles más allá, y que no había perdonado en su vida una ocasión para batirse con sus enemigos. *Niva,* cuando tuvo cuatro meses, es decir, hacia fines de mayo, comía muchas cosas que habrían matado a la mayoría de los oseznos de su edad, y había perdido las listas doradas de los pequeñuelos: desde su hociquillo hasta el extremo de su cola, era negro como el ébano de los bosques.

En los primeros días de junio se produjo en la vida de *Niva* un gran cambio, debido a un suceso sensacional. Aquel día el calor era tan pesado, que *Nuzak* se echó a dormir la siesta inmediatamente después de comer. Ya habían salido de la región oscura y húmeda de los bosques, y se encontraban en un gran valle, por el centro del cual se deslizaba un riachuelo, bordeado de bancos de arena y sabanas de guijarros blancos y pizarrosos. *Niva* no tenía sueño. No quería, tampoco, perder la ocasión de disfrutar una tarde tan radiante. Con sus grises ojillos contemplaba el paisaje maravilloso, que parecía invitarle a disfrutar de la hermosura de la Naturaleza. Miró a su madre y lanzó un gemido. La experiencia habíale enseñado que, a aquellas horas, estaba como muerta para el mundo, a menos que él fuera a morderle cariñosamente en los dedos o en las orejas, en cuyo caso despertaba sólo para lanzarle un gruñido de reconvención... Pero el osezno ya estaba cansado de aquellas bromas. Ahora deseaba algo más excitante y peligroso, y por eso se había decidido aquella tarde a lanzarse en busca de aventuras.

En aquel paisaje verde y dorado, el osezno no era más que una bola negra, casi tan ancha como larga. Bajó primero hacia el río, lanzando una mirada hacia atrás. Aún podía ver a su madre. Luego sus patas se hundieron en la arena fina y blanda de la orilla del río, y *Nuzak* quedó olvidada. Llegó hasta el banco más cercano, y después volvió de nuevo hacia la orilla, hundiéndose en el césped tierno y verde, que se hundía bajo sus patas como si fuera de terciopelo. Una vez allí, se puso a voltear pequeñas piedras, en busca de hormigas de miel. Un instante después, persiguió furiosamente a una marmota, a la que estuvo a punto de alcanzar. Cuando ya iba a echarle la zarpa, una liebre fenomenal le distrajo, pasándole por debajo mismo del morro. *Niva* abandonó la marmota para seguir a la liebre; pero la liebre también desapareció entre unos altos matorrales.

Niva, burlado por segunda vez, lanzó un rugido de rabia. Nunca la turbulenta sangre de *Suminitik* había corrido por sus venas de un modo tan enérgico y precipitado. Quería echarle la zarpa a no importa lo que fuese. Por primera vez en su vida, aspiraba a luchar con alguien. Estaba como un muchacho que al día siguiente de Reyes se encuentra en posesión de un par de guantes de boxeo y no tiene adversario. Sentóse, lanzando a su alrededor miradas de desafío, gruñendo como si lamentara la ausencia de enemigos. Ante él el mundo entero se batía en retirada por adelantado. Él lo sabía. Todo lo existente sentía miedo de su madre. Todo tenía miedo *de él.* Era deprimente esta ausencia de algo vivo frente a un joven ambicioso y aspirando a batirse. ¡Se iba dando cuenta de que la vida era bastante triste!

Al fin, aburrido, levantóse, emprendió la marcha en una nueva dirección, dio la vuelta a una gran roca y, de pronto, se quedó parado: al otro extremo de la roca, de cara al sol, asomaba una pata trasera, grande y peluda.

Durante un rato, *Niva* contempló aquella pata, alegrándose por anticipado de la broma que le iba a jugar a su madre. ¡Pensaba darle un mordisco más fuerte que nunca, para que se despertara y no durmiera más en días tan hermosos como aquél! Avanzó, pues, con grandes precauciones para no hacer ruido, y, escogiendo un punto de la pata desprovisto de pelos, hundió sus dientes hasta las encías.

El resultado fue un rugido espantoso, que estremeció toda la tierra. Resultó que aquella pata no pertenecía a *Nuzak,* sino que era propiedad personal de *Makus,* viejo oso macho, de naturaleza brusca y mal carácter. En él, la edad había determinado un modo especial de ser que no se parecía en nada a las manías de vieja de *Nuzak*. *Makus* se puso, pues, en pie, mucho antes de que el osezno hubiese comprendido el error en que acababa de incurrir. No solamente era un oso viejo y gruñón, sino que, además, detestaba a los oseznos. Más de una vez, en sus buenos tiempos, había cometido el delito de canibalismo. Era lo que los viejos cazadores indios llaman un *ucham,* un mal oso, devorador de sus semejantes, y en el instante en que sus ojos percibieron a *Niva,* lanzó un nuevo rugido de ferocidad.

Esta vez el osezno, dando con sus patitas en el vientre, partió veloz como una bala. Nunca en su vida había corrido de aquel modo. Su instinto acababa de advertirle que había encontrado al fin algo que no tenía miedo de él, y que su vida estaba en peligro mortal. Corría sin haber escogido de antemano la dirección de su huida, pues al equivocarse tan lamentablemente no tenía idea de dónde pudiera estar su madre. Oyó a *Makus* que se lanzaba en su persecución, y mientras corría, lanzó *Niva* un rugido salvaje, una llamada de socorro, llena de angustia.

El rugido llegó en seguida a oídos de la noble y vigilante *Nuzak,* que se puso en pie instantáneamente y, por fortuna, a tiempo. Lanzado como una bala negra de cañón, *Niva* pasó junto a la roca donde estaba su madre, y, diez pasos después, le seguía *Makus*. El osezno vio a su madre con el rabillo del ojo, pero la velocidad adquirida le impidió detenerse. En este instante, *Nuzak* entró en acción. Como un jugador de fútbol que calcula el golpe del balón, la osa calculó el sitio donde habría de caer para herir al enemigo, y las dos viejas bestias rodaron por el suelo repetidas veces, en una lucha que a *Niva* le pareció excitante y magnífica.

Se había detenido, y sus ojos, que parecían querer salírsele de las órbitas, brillaban como dos luceros, contemplando la escena de combate. El osezno, que hacía un instante deseaba una batalla, permanecía como paralizado, absorto en lo que contemplaban sus ojos. Los dos osos combatían ferozmente, lanzando rugidos ensordecedores, rasgándose mutuamente la piel y despidiendo una nube de guijarros y tierra en su cuerpo a cuerpo mortal. En este primer encuentro llevó mejor parte *Nuzak*, pues su violencia había sorprendido a su enemigo. La osa habíale colocado las zarpas en el cuello, y al mismo tiempo con las patas de atrás rasgaba su piel de tal suerte, que la sangre corría a chorros por los flancos del viejo bárbaro, el cual rugía como un toro acorralado.

Niva sabía que el enemigo iba a intentar tomarse el desquite, y lanzó un grito agudo para alentar a su madre a que le sacara las tripas al oso, acercándose luego hasta el borde mismo del lugar de la lucha, contrayendo su morro y mostrando los dientes con un gruñido feroz. Ejecutaba una danza alocada a una docena de pasos de los combatientes; la ardiente sangre de *Suminitik* hacíale sentir el deseo imperioso de mezclarse en la contienda..., y, sin embargo, no se atrevía.

De pronto ocurrió algo que malogró la loca alegría del osezno ante el triunfo de su madre. *Makus,* como macho viejo, estaba necesariamente habituado a las artes todas de la pelea. Se prendió con un gran impulso de las mandíbulas de la osa, la derribó a sus pies, y comenzó a su vez a desgarrarle la piel, haciendo que la infeliz *Nuzak* lanzase un grito de angustia que dejó al osezno petrificado de espanto.

Siempre es interesante preguntarse lo que va a hacer un pequeñuelo que ve pegar al autor de sus días. Si tiene un hacha a su alcance, es probable que la utilice. No hay mayor desgracia en la vida que tener un progenitor que ha sido vapuleado por el padre de un camarada. El deseo más fuerte en un muchacho normal, aparte del de ser presidente de los Estados Unidos, es el de tener un padre capaz de golpear a todo el mundo. Y había en *Niva* mucho de humano. Por eso, al oír lamentarse de aquel modo a su madre, sintió como si la tierra entera se hundiera bajo sus pies. Si la vejez había hecho perder a *Nuzak* parte de su fuerza, su voz, al menos, se conservaba plena de vigor, y los rugidos espantosos que lanzaba debían oírse muy bien en varios kilómetros a la redonda.

Niva no pudo contenerse más. Con una rabia ciega se lanzó en medio de la pelea. Mordió al azar en una pata de *Makus*..., y sus dientecillos se hundieron en las carnes del enemigo como dos filas de agujas de marfil. El oso se estremeció, rugiendo a su vez, pero *Niva* no soltó la presa, mordiendo, por el contrario, más fuertemente. Entonces, *Makus* encogió primero la pata, y estirándola después, lanzó al osezno por los aires con la fuerza de una catapulta, yendo a caer contra una roca, a veinte pies de los combatientes; y el golpe fue tan rudo que, por unos instantes, *Niva* permaneció como privado de conocimiento y de respiración, haciendo estériles esfuerzos por levantarse. Al fin recobró la vista y los otros sentidos. Lanzó una nueva mirada al teatro de la lucha, sintiendo que su corazón aceleraba sus latidos.

¡*Makus* no seguía luchando; huía con una marcha vergonzosa que hacíale cojear horriblemente!

La pobre anciana *Nuzak*, su dulce madre, estaba en pie, contemplando al enemigo que se retiraba, como si se burlase de su derrota y de su ridículo. Jadeaba como una ternera herida, con la boca abierta y la lengua colgando. Numerosos hilillos de sangre corrían a lo largo de su cuerpo, empapando la tierra. La infeliz había sido golpeada, vapuleada, seriamente herida. No cabía duda que era una osa fuera de combate. Y, sin embargo, ante la gloriosa derrota del adversario, *Niva* no vio siquiera el estado lamentable de *Nuzak*. El enemigo huía, y, por consiguiente, estaba vencido. Y el osezno corrió junto a ella, lanzando rugidos de alegría.

CAPÍTULO III

MIKI

De pie junto a su madre, bajo el cálido sol de aquella tarde de junio, y mirando a *Makus,* que huía a través del lecho del río, *Niva* se hacía la ilusión de ser un viejo guerrero consumado que pesara lo menos cuatrocientas libras; sin embargo, no era más que un osezno poco menos que mamoncillo, que pesaba, cuando más, unas nueve libras.

Pasaron no pocos minutos desde que *Niva* mordió en el pie al viejo oso hasta que su madre, la noble *Nuzak,* pudo recobrar alientos y lanzar un débil rugido. Respiraba como un fuelle roto de fragua. Cuando *Makus* hubo desaparecido al otro lado del río, *Niva* se sentó sobre sus patas traseras, enderezó sus orejillas y se quedó observando a su madre, con sus pequeños y redondos ojillos, estudiándola con manifiesta inquietud. *Nuzak* lanzó una profunda queja, un rugido lastimero, y marchó lentamente hacia la roca donde el grito de su cachorro la había despertado sobresaltada. Le parecía que todos los huesos de su cuerpo estaban rotos o dislocados. Cojeaba y tropezaba, dejando huellas de sangre sobre la hierba. *Makus* le había infligido un serio castigo.

Al fin se tendió sobre el césped, lanzó un último gemido, y miró a *Niva,* como diciéndole:

—Si no te hubieras metido a gastar bromas y a despertar la rabia de esa vieja víbora, yo no estaría en este estado.

Un oso joven se habría prontamente curado de todas aquellas heridas, sin que la batalla dejara sobre él rastro alguno; pero la pobre *Nuzak* permaneció echada el resto de la tarde y toda la noche siguiente. Por cierto que aquella noche fue una de las más bellas que había visto *Niva.* Porque ahora que las noches eran dulces y calurosas, el osezno prefería la luna al sol; su instinto le hacía preferir la caza en la oscuridad, durmiendo en el fondo de las cuevas o los bosques durante las horas de sol.

Aquella noche la luna se elevó sobre el paisaje como una hostia mística. Los bosquecillos de pinos y de abetos tomaban a su luz lechosa un aspecto fantasmal en aquel océano lívido y quieto; el río brillaba entre el ramaje de árboles y arbustos, semejante a un ser viviente que serpenteara a través del valle. Pero *Niva* había comprendido la lección recibida, y a pesar de la llamada de la luna y de las estrellas, permaneció junto a su madre, contentándose con escuchar la inimitable música nocturna de la selva.

A la mañana siguiente, la osa *Nuzak* pudo ponerse en pie, y lanzando un leve gruñido a *Niva*, indicándole que la siguiera, comenzó a subir la colina, ya dorada por el sol. No era que la madre del osezno encontrara un placer en volver a viajar; pero temía encontrarse de nuevo con el terrible *Makus*. Su instinto le avisaba que una nueva batalla acabaría con ella, en cuyo caso el pobre cachorro serviría de pasto al odioso enemigo. Se esforzó, pues, en descender a la otra vertiente de la colina, atravesó un nuevo valle y, por una estrecha cortadura entre montañas, entró en una extensión llena de praderas, de lagos y de vastos bosques de pinos y de cedros. Hacía una semana que la osa *Nuzak* se dirigía hacia cierto río situado en aquella llanura, y ahora que la presencia de *Makus* la empujaba a seguir adelante, anduvo y anduvo tanto que el pobre *Niva* apenas podía sostenerse sobre sus frágiles patitas.

Llegaron a la orilla del río en cuestión a media tarde, y *Niva* estaba tan agotado que apenas pudo dormir. Una vez arriba, encantado de poder descansar, el cachorro se durmió rápidamente, mientras la osa iba hacia el río, para entregarse a la pesca.

El río estaba lleno de carpas, aprisionadas en los pequeños remansos después de desovar, y la osa *Nuzak* acumuló en menos de una hora una enorme provisión. Cuando *Niva* bajó de su cuna, precisamente a la caída de la tarde, comió parte del producto de aquella pesca maravillosa, de la que ya *Nuzak* habíase atiborrado hasta tal punto que parecía una barrica a punto de estallar. Era la primera vez que el oso comía pescado, y durante una semana estuvo disfrutando de aquel régimen alimenticio, verdaderamente paradisíaco. Comía por la mañana, por la tarde y por la noche, hasta que su piel estaba ya a punto de estallar. Por todas partes les acompañaba un olor que cada día era más rancio... Y a medida que se acentuaba, *Niva* y su madre encontraban aquel olor más delicioso. Y *Niva* crecía y engordaba como una bola de nieve. En una semana ganó tres libras. Había renunciado a mamar, en vista de que los pechos de su madre estaban casi por completo agotados.

Al comenzar la noche del octavo día, *Niva* y su madre se acostaron junto a un hermoso altozano, para dormir después de una opípara cena. *Nuzak* era, sin discusión, la osa más feliz y dichosa de toda la región del Norte. El aprovisionamiento de ella y de su cachorro había dejado de ser un problema. En los remansos del río tenía a su disposición una cantidad ilimitada de peces, cuya posesión no le disputaba ningún otro animal. En este verdadero paraíso de los bosques, la dulce madre osa sabía que les esperaba una abundancia beatífica y sin tregua, hasta que las tempestades de la canícula alejaran al pescado de los ríos. Pero entonces ya estarían maduras las moras, las frambuesas silvestres y los frutillos que crecían en los arbustos del bosque... Y *Niva*, el cachorro tragón, compartía estos sueños con su madre.

... ...

Aquel mismo día, precisamente a la caída del sol, un hombre examinaba en cuclillas la arena de la orilla del río, a cinco o seis millas del lugar en que estaban los osos. Sus mangas remangadas dejaban ver sus fornidos bíceps y la piel morena por el beso del aire y el sol; y como estaba sin sombrero, la brisa de la tarde alborotaba aún más su cabellera, desgreñada y salvaje por no haber sido peinada desde hacía ocho o nueve meses.

Junto a aquel individuo, sentado sobre sus patas traseras y mirándole cariñosamente, había un perro cachorro, uno de esos perros feos, pero sociables y cariñosos en extremo, llamados *Mackenzie*, aunque aquél era una mezcla de las razas *Airedale* y *Spitz*.

Con aquella mezcla de sangre en las venas, nadie al

verlo podría dudar de que fuera un perro de "pura raza". Su cola, larga y delgada, se extendía sobre la arena, con un nudo en cada vértebra; sus patas, enormes, como los pies de un chiquillo, semejaban colosales guantes de boxeo; su cabeza era tres veces más grande que el cuerpo y, para colmo, un accidente había ayudado a completar aquella obra maestra de la Naturaleza privándole de la mitad de una oreja. Mientras observaba a su amo, aquella media oreja se mantenía erguida como un fragmento de vela de barca, mientras que la otra, dos veces más larga, estaba desplegada hacia delante, como escuchando con interés lo que su amo pudiera decirle, o los rumores de la selva. La cabeza, las patas y la cola del perrito pertenecían sin duda a la raza *Mackenzie* de caza, pero las orejas y el cuerpo, larguirucho y enflaquecido, formaban una especie de lazo de unión entre las razas *Spitz* y *Airedale*. Y en su actual período de desarrollo, el pobre animal constituía el ejemplar de perro más lamentable y ridículo que se hubiera podido encontrar.

Por primera vez, al cabo de mucho tiempo, su amo habló, y *Miki* se puso a dar saltos, como para testimoniarle que se daba perfecta cuenta de que le dirigía la palabra.

—Tan verdad como que tú tienes ahora doce semanas, *Miki,* es que se trata de una osa y su cachorro. Y, o yo no entiendo nada de osos, o juraría que han pasado por aquí esta misma tarde.

Luego se levantó, y observando que las sombras iban invadiendo el bosque, llenó su cantimplora de agua y permaneció inmóvil unos momentos como pensativo. Los últimos rayos del sol le iluminaron el rostro, un rostro alegre y sano, en el que se reflejaba el contento de vivir. De pronto, un relámpago de inspiración pareció cruzar por sus pupilas, al tiempo que añadía:

—*Miki,* voy a obligar a tu desgraciado cuerpecito a que se mueva por el bosque, para ver si podemos dar una alegría a la pequeña... Yo sé que tú eres un brillante en bruto, y mi hermanita te querrá mucho si le podemos llevar la piel de estos animales que andan por aquí... ¡Porque no veo la manera de que me traigas el osezno tú solo!...

Y, silbando, luego de haber recogido su cantimplora

llena de agua, echó a andar, seguido de *Miki,* en dirección a un bosquecillo de bálsamos que se elevaba a unos cien metros de distancia.

El perro le seguía paso a paso.

Challoner, recientemente nombrado agente de la "Great Hudson's Bay Company", había establecido su campamento al borde del lago, cerca de la desembocadura del río. El campamento era bien poca cosa: una tienda de campaña en muy mal estado; una pequeña canoa, todavía de aspecto más lamentable, y una pila de sacos de provisiones. Pero, a los últimos rayos del sol, aquella pequeñez habría significado mucho para una persona conocedora de la áspera vida de la selva. Era el equipo de un hombre que, habiendo llegado valerosamente hasta los agrestes límites del mundo, conservaba con cariño cuanto le quedaba de su existencia anterior de hombre culto. Challoner experimentaba una especie de sentimiento de camaradería humana por aquellos objetos que le habían acompañado durante casi un año de vida y de lucha salvaje. La canoa, mejor dicho, la piragua, estaba rota y recompuesta por mil partes; la tienda, expuesta al humo y a las tempestades, tenía un color indefinible, entre negro y gris, y por lo que se refiere a los sacos de provisiones, estaban vacíos en su mayor parte.

Sobre un fuego de leños hervía un pucherete con café, y junto a éste había una cacerola de la que se escapaba un apetitoso olor de pescado; por último, en un horno de campaña, también abollado y maltrecho, se iba dorando una apetitosa galleta, que servía de pan al habitante de aquellas soledades.

Miki, que llegó junto a la tienda tras de su amo, se sentó sobre sus angulosas patas, de manera que el vapor del guiso de pescado le diera en plenas narices. Había descubierto que oler es casi igual que comer. Sus ojos brillaban como granates, siguiendo los últimos preparativos de Challoner, y tras de cada aspiración lamíase el belfo y tragaba glotonamente su saliva. *Miki* debía su nombre a su voracidad. Tenía un hambre constante a todas horas, por copiosamente que hubiera comido, pareciendo un saco roto. Por eso su amo le puso *Miki,* que quiere decir *tambor.*

Cuando amo y perro hubieron devorado el pescado y atiborrádose de galleta, Challoner encendió su pipa, expresando el pensamiento que antes había surgido en su mente:

—Mañana iremos a buscar a esa osa — dijo.

Miki, sentado junto a las brasas, golpeó repetidamente el suelo con la cola para indicar que escuchaba.

—Voy a emparejarte con el osezno, y la chiquilla se va a morir de risa.

Miki redobló los movimientos de su cola.

"¡Magnífica idea!", parecía decir.

—Recapacita un poco — continuó Challoner, mirando por encima de la cabeza del perro a mil millas de distancia —. ¡Catorce meses... y volveremos por fin a casa! Voy a amaestraros a ti y al osezno para mi hermanita. Espero que eso te gustará. ¡Ah!, tú no la conoces, feúcho; si así fuera, no estarías ahí como un espantapájaros, inmóvil, mirándome con esos ojazos de bobo... Eres demasiado bestia para imaginarte lo linda que es. ¿Has visto el crepúsculo de esta tarde?... ¡Pues bien, mi hermana es aún más hermosa! Te quedas absorto, ¿eh, *Miki?*... ¿No tienes nada que añadir?... Bien; entonces, digamos nuestras oraciones y acostémonos.

Challoner se levantó, desperezándose. Sus músculos crujieron. Sentía bullir la vida en él como un gigante. Y *Miki,* que no había cesado hasta el último momento de mover la cola, se puso de pie, mostrando aquellas patas interminables, y siguió a su amo hasta la tienda de campaña.

A la mañana siguiente, apenas las luces del alba comenzaron a rasgar el cielo, Challoner salió de su cabaña seguido del fiel perro, y encendió fuego. Luego ató a *Miki* con una larga cuerda a un árbol, dispuso un saco de provisiones para poderlo llevar en bandolera... y se aprestó a seguir las huellas de *Niva* y de su madre.

Cuando *Miki* advirtió que su amo se alejaba, dejándole a él atado, comenzó un interminable concierto de ladridos, gruñidos y lamentaciones casi humanas. Challoner, cuando ya se perdía a lo lejos entre la arboleda, volvió la cabeza y aún pudo verle, dando saltos y cabriolas, semejantes a un juguete mecánico. Incluso, cuando ya llevaba andando un cuarto de milla, río arriba, oía aún sus protestas lastimeras.

El empleo de esta jornada no era una simple excursión de placer para Challoner; no sólo se proponía poseer un osezno que hiciera pareja con *Miki*. Tenía necesidad de carne, y la carne de oso, en aquel principio de estación, debía de ser excelente. Pero, sobre todo, le faltaba proveerse de grasa. Si pudiese matar a la fiera, se ahorraría mucho tiempo en su viaje de vuelta hacia la civilización.

Eran las ocho de la mañana cuando Challoner encontró huellas indudables de *Niva* y de *Nuzak* junto al remanso donde la osa, días antes, había estado pescando, y donde la víspera misma había vuelto con su cachorro, para regalarse con el pescado, ya medio podrido, que se amontonaba en la orilla. Challoner se alegró infinito. Ahora estaba seguro de encontrar a la pareja por aquellos alrededores, bordeando el río. El viento venía hacia él, y el cazador comenzó con precauciones, llevando preparado el fusil para disparar en cualquier instante. Durante una hora marchó con paso regular y tranquilo, prestando atención a los menores ruidos o movimientos, observando de vez en cuando si el viento cambiaba. Pero la astucia humana no era su única ventaja; todas las circunstancias concurrían en su favor.

El río, al llegar a una parte del valle donde se extendía una gran planicie, se ramificaba en diez o doce riachuelos, que corrían entre bancos de arena y lechos de guijarros. Y allí estaban *Nuzak* y su cachorrillo, buscando con tranquila lentitud cangrejos para hacer con ellos un exquisito desayuno. Nunca le había parecido el mundo tan bello a *Niva*. Los rayos ardientes de un sol de oro calentaban su espalda, haciéndole lanzar un leve runruneo de satisfacción. Experimentaba un placer profundo sintiendo la arena que crujía y se escurría bajo sus pies, y el agua que se deslizaba juguetona entre sus patas. Y los ruidos que le rodeaban, el murmullo del viento en los árboles, el rumor cantarino del agua al deslizarse sobre los guijarros, el canto de los pájaros, y, sobre todo, los continuos y cariñosos gruñidos de su madre, formaban para él una música incomparable y dulcísima.

¡Y fue allí, en aquella parte soleada del valle, donde una pequeña desviación del viento advirtió a *Nuzak* de un peligro inminente: la proximidad del hombre!

La osa se quedó como petrificada. Conservaba en su espalda la profunda cicatriz de una herida que recibió hacía ya muchos años, al tiempo que percibía el olor inconfundible de aquel enemigo, el único a quien temía verdaderamente. Desde hacía tres veranos no había vuelto a percibir el olor del odioso enemigo..., a tal punto, que hasta había olvidado que existiera. Y ahora, con una rapidez que la había paralizado por completo, *Nuzak* volvía a recibir en pleno hocico el perfume terrible e inconfundible lleno de amenazas...

En aquel momento, el mismo *Niva* pareció darse cuenta de la proximidad de un peligro espantoso. A doscientos metros de Challoner, el osezno se destacaba como una mancha inmóvil de azabache sobre la blancura de la arena circundante, con los ojos fijos en su madre, intentando analizar con sus sensibles naricitas la naturaleza del peligro contenido en el aire.

Entonces estalló un ruido que él no había oído jamás, un rugido seco y desgarrante parecido al del trueno, pero diferenciándose de éste en la brevedad... Y al mismo tiempo, *Niva* vio a su madre vacilar un momento, y luego caer sobre las patas delanteras.

La osa se levantó, lanzando un rugido que era también nuevo para él pero que evidentemente le advertía que huyera para salvar su vida.

Como todas las madres que han conocido la tierna familiaridad de un pequeñuelo, el primer pensamiento de *Nuzak* fue para su hijo. Alargó una pata para empujarlo hacia delante, y *Niva* se lanzó en una carrera frenética hacia el bosque vecino. *Nuzak* le siguió. Un segundo estampido se oyó, y el rumor de la bala pasó junto a su cabeza. Pero la madre no por eso aligeró el paso. Siguió deliberadamente detrás de *Niva*, a pesar del dolor espantoso que le había causado aquel hierro candente al penetrar en sus carnes. En el momento en que alcanzaban el lindero del bosque, una tercera bala de Challoner mordió el polvo bajo sus patas.

Un instante después estaban ocultos a los ojos del cazador por la espesa barrera de árboles. El instinto guiaba a *Niva* hacia lo más intrincado de la selva, y detrás de él, la pobre herida gastaba sus últimas fuerzas en darle prisa. En el viejo cerebro del animal, una sombra comenzaba a quitarle la vista y se daba cuenta de que llegaba al término de su vida. Con sus veinte años de edad, aún luchaba en aquel instante por vivir algunos segundos. Al fin, detuvo a su cachorro al pie de un cedro corpulento, y, como tantas veces en otras ocasiones, le hizo seña para que subiera a la copa. El osezno le lamió el morro en una rápida caricia, y desapareció tronco arriba. Luego, la madre se volvió para librar tal vez su última batalla.

Con trabajo infinito se puso en pie, avanzando apoyada en sus patas traseras solamente, y deteniéndose al fin a cincuenta metros del cedro corpulento donde se había refugiado su hijo. Su vista se oscurecía por instantes; jadeaba, con las angustias de la muerte... Y, por último, se desplomó, quedando extendida, como si quisiera cerrarle el paso al enemigo con su cuerpo.

¡Quizá vio por última vez las lunas doradas y los soles deslumbrantes de sus pasados veinte años! ¡Quizás una sensación de beatitud y de dulzura descendió sobre ella, como recompensa a su gloriosa maternidad sobre la tierra!...

Cuando Challoner llegó, estaba muerta.

Desde su escondite, *Niva* asistió a la primera tragedia de su vida y al advenimiento del hombre. A la vista de aquella nueva bestia que se sostenía sobre dos patas, contraíase cuanto podía en su refugio, y su corazoncito latía hasta casi saltársele de terror. No podía razonar. Sólo oscuramente comprendía que acababa de pasar algo terrible e irremediable, y que aquel animal de dos patas había sido la causa de todo.

Sus ojillos centelleaban en el mismo borde de la horcadura del cedro donde estaba oculto. Preguntábase con asombro por qué su madre no se levantaba para combatir con aquel nuevo enemigo. A pesar de su terror, *Niva* estaba dispuesto a gruñir, a volar en socorro de su madre, si la veía levantarse, como había hecho cuando la famosa derrota de *Makus*. Mas ni un solo músculo de *Nuzak* movióse cuando el cazador se inclinó sobre su enorme cuerpo. ¡Estaba bien muerta!

El rostro de Challoner irradiaba triunfo. La necesidad había hecho de él un criminal. El cadáver representaba a sus ojos una piel soberbia y una abundante provisión de carne que le duraría tanto como su viaje hacia el Sur. Colocó su fusil contra un árbol y se puso a buscar el cachorrillo de la muerta. Su experiencia de la vida selvática le decía que el osezno no debía de encontrarse lejos. Y estuvo durante un gran rato registrando los árboles y los matorrales.

Al abrigo de sus ramas, disimulado entre el espesor del follaje, *Niva* hacíase lo más pequeño posible. Al cabo de media hora de rebusca, el cazador, fatigado, se dirigió hacia el río para beber un trago antes de descuartizar a su víctima.

Apenas había desaparecido, la pequeña cabecita de *Niva* se irguió vivamente. Durante algunos instantes estuvo observando los alrededores de su escondite, y luego comenzó a bajar, de espaldas, por el tronco del cedro. Una vez en tierra, lanzó un débil rugido llamando a su madre; pero *Nuzak* no se movió. Entonces se detuvo junto a la cabeza inmóvil, husmeando el aire corrompido por el olor humano. Se aproximó más, hasta rozar con su hocico la cabeza de la madre amada; luego le tocó el hocico con el suyo y se lo hundió en el cuello, y, viendo que todo era inútil, le mordió una oreja. Éste había sido siempre su gran recurso para despertarla. Pero como viera que también permanecía inmóvil, se puso a gemir dulcemente, acabando por subirse encima de su madre y echándose sobre ella. Y a su rugido se mezclaba una nota extraña de ternura y de dolor que recordaba el llanto de un niño.

Challoner, al volver por allí, escuchó este gemido y sintió una profunda piedad. Parecíale aquel llanto el de un niño huérfano y abandonado.

Escondido detrás de un tronco,, miró hacia el sitio donde estaba el cadáver de la osa, y pudo distinguir entonces al cachorro echado encima de su madre. El cazador había matado muchos animales en su vida, ya que el de matar era su oficio, así como el de comprar las pieles de los animales muertos por otros hombres. Pero nunca, en su larga existencia de hombre de los bosques, había visto nada parecido a aquel cuadro conmovedor..., y un remordimiento inmenso le asaltó, como si acabara de cometer un verdadero asesinato.

—¡Cuánto lo siento, pobre animalillo —dijo—, cuánto lo siento!...

Era casi una demanda de perdón al pobre osezno... Y, sin embargo, comprendió que ya no le quedaba otro remedio que apoderarse también del cachorro de su víctima. Entonces, lentamente, con grandes precauciones para que el osezno no advirtiera su presencia, se fue deslizando sobre la hierba, hasta colocarse a tres o cuatro pasos de las espaldas de *Niva*. Cuando el animalillo advirtió la presencia de su enemigo, ya era tarde. De un brinco, Challoner cayó sobre él, y sin darle tiempo a bajar del dorso de su madre, le envolvió en el saco de provisiones.

A pesar de su terror y del dolor producido en el pequeñuelo por la muerte de su madre, surgió en *Niva* la sangre combativa y feroz de su padre *Suminitik*. Rugía, gruñía, arañaba y mordía a un tiempo mismo... y en los cinco minutos que Challoner tardó en atarle una cuerda al cuello y enfundarlo dentro del saco, mordió numerosas veces a su enemigo en las manos y en los brazos.

El cazador colocó luego el saco en el suelo, y mientras *Niva* se debatía en el interior como un diablillo, Challoner desolló y descuartizó a *Nuzak*. Luego dispuso la carne y la grasa dentro de la piel, que era soberbia, y lo ató todo, cargándoselo sobre sus espaldas.

Cogió por último su fusil y el saco donde *Niva* continuaba debatiéndose como un condenado, y emprendió el camino hacia su tienda, adonde llegó cuando moría la tarde.

El osezno se declaraba ahora vencido. Cuando *Miki* se acercó a oler el saco donde él estaba encerrado, no se movió siquiera. Todos los olores, todos los ruidos habían acabado por ser para él completamente indiferentes.

Challoner estaba molido. Le dolían los huesos como si le hubieran apaleado. Sin embargo, su rostro, cubierto de sudor y de polvo, esbozó una sonrisa, al tiempo que decía:

—¡Diablo de animalito!... ¡Quién dijera que era tan fierecilla!...

Y llenó su pipa por primera vez en todo el día.

Luego ató la cuerda que sujetaba al osezno al tronco de un árbol, y, abriendo con precauciones el saco de provisiones, hizo salir a *Niva* y retrocedió vivamente. En aquel momento, el osezno vencido estaba dispuesto a aceptar un armisticio con Challoner. Pero no fue a él a quien miraron primero sus ojos, semicegados por la luz violenta del crepúsculo, al salir del saco, sino a *Miki*. ¡Y *Miki*, de pie, altísimo, en aquellas patas interminables, vibraba ahora con una inmensa curiosidad, dispuesto a olfatear a aquel extraño bicho!

Los ojillos del osezno brillaron de cólera y desesperación. ¿Es que aquel animalucho tan mal hecho, con una oreja rota... aquel aborto de la bestia humana, por lo visto, era también un enemigo?... Los movimientos nerviosos de su cuerpo esquelético y los molinetes de su cola, ¿serían tal vez una invitación a la pelea?... ¡Sí, sí, acaso...! Al menos, el osezno así lo creyó. De todos modos, aquel aborto de animal era poco más o menos de su misma talla... Como un rayo cayó sobre el pobre perro. *Miki*, que un instante antes desbordaba de amistad y de buen humor, se vio derribado de espaldas, batiendo el aire con sus patas grotescas..., y lanzando gemidos lastimeros que se perdían en la quietud luminosa de la tarde.

Challoner habíase quedado absorto e intrigado. En cualquier otro momento, se habría apresurado a separar a los dos jóvenes combatientes. Pero ahora sucedió algo que se lo impidió. *Niva*, que estaba encima de *Miki*, cuyas cuatro patas, extendidas cuan largas eran, indicaban una capitulación sin condiciones, retiró lentamente sus dientes de la piel seca del perrucho. Acababa de percibir de nuevo a la bestia humana.

Un instinto más sutil que todo razonamiento elemental lo inmovilizó un instante, con sus ojos diminutos fijos en Challoner. *Miki* agitaba sus patas en el aire, sin cesar de gemir dulcemente; su larguísima cola no dejaba de moverse, golpeando el suelo, como si demandara clemencia, intentando lamer el hocico del osezno, como para indicarle que no tenía intención de hacerle ningún mal. El cachorrillo, al fin, enseñando los dientes, pero mirando frente a frente al cazador, se retiró de encima de *Miki*. Y el perro, no atreviéndose a moverse, permaneció caído de espaldas, agitando sin cesar sus patas, que parecían las aspas de un molino de viento.

Lentamente, con el asombro pintado en el rostro, Challoner se retiró al interior de su tienda de campaña para observar a los dos animales a través de un agujero de la lona.

Niva cesó de enseñar los dientes y miró al perrillo. Quizás un instinto oculto en algún rincón de su cerebro le sugirió todo aquello de que se había visto privado por la falta de hermanos: la camaradería y los juegos de la primera edad. *Miki* debió de percibir aquel cambio de humor en el negro animalillo que momentos antes le trataba como un enemigo, porque se puso en pie, golpeando frenéticamente el suelo con su larga cola y extendiendo las manos hacia el osezno. Luego, temeroso de su osadía, acabó por tenderse en el suelo, mirando a *Niva* con ojos llenos de dulzura. El osezno no se movió, y entonces el perrillo comenzó a dar grandes saltos de alegría.

Un instante después, Challoner, a través del agujero de la tienda, les vio que se olían los hociquillos, con mutuas e infinitas precauciones.

CAPÍTULO IV

HERMANOS SIAMESES

Aquella noche cayó una lluvia fría y menuda del Nordeste. Challoner salió al alba húmeda para encender el fuego. *Miki* y *Niva,* acurrucados el uno junto al otro en el hueco de un tronco de árbol, estaban profundamente dormidos.

El osezno fue el primero que se dio cuenta de la presencia de la bestia humana, y durante unos instantes sus ojillos relucientes estuvieron fijos en el extraño enemigo que había destrozado su vida. El vencimiento y el cansancio le hicieron dormir de un tirón aquella primera noche de cautiverio, y durante el sueño había olvidado muchas cosas. Pero ahora lo recordaba todo. Intentó acurrucarse como si quisiera desaparecer en el fondo del agujero, y lanzó un leve gemido, cual si llamara a su dulce madre.

Aquel gemido despertó al perro. Estaba durmiendo hecho una rosca, se levantó con lentitud, estiró sus desmesuradas patas y bostezó tan fuerte que su amo le oyó. El hombre volvió la cabeza, encontrándose dos pares de ojos fijos en él, desde el fondo del hueco de aquel tronco enorme. *Miki* enderezó alegremente las dos orejas, la buena y la que le faltaba un pedazo, y saludó a su amo con todo el alegre humor de una camaradería irrefrenable. El hombre le contestó con una sonrisa que le contraía el rostro, bronceado por catorce meses de exposición a los vientos tempestuosos del Norte. *Miki* se acercó a él dando brincos, para agradecer aquella sonrisa.

El pobre *Niva,* en cambio, retrocedió al fondo de la improvisada madriguera tanto como se lo permitía la profundidad del agujero. El cazador no le veía más que la cabeza. Y el osezno prisionero quedó contemplando, con ojos suplicantes y dulces a la vez, al asesino de su madre.

Se representaba la tragedia del día anterior: el lecho tibio y soleado del río, donde la osa y él buscaban tranquilamente el desayuno, cuando apareció la bestia humana; el ruido ensordecedor que estremeció todo el bosque; su huida hacia la floresta, seguido de su madre, y, en fin, la escena final, cuando *Nuzak* se volvió para hacer frente al enemigo. Sin embargo, no era el recuerdo de la muerte de su madre lo que le martirizaba y se le hacía más doloroso en aquellos momentos, sino el propio combate que él había tenido que sostener con el hombre blanco..., y luego su pelea estéril en las profundidades del saco donde creyó morir sofocado, asfixiado. En aquel mismo instante, su vencedor estaba examinando las heridas de sus manos. Dio algunos pasos hacia delante, y dirigió al osezno una sonrisa de bondad y cariño semejante a la que había dirigido momentos antes al perrillo *Miki.*

Los ojos del osezno relucieron.

—Ya te dije ayer que lamento mucho lo ocurrido — dijo Challoner como si hablara a un semejante suyo.

Challoner era, por muchos conceptos, un hombre extraño, muy distinto de los que se suele encontrar de ordinario en el Norte. Creía, por ejemplo, en cierta psicología específica del animal, y estaba convencido de que las bestias con las que uno se comporta y habla del modo habitual entre hombres, desarrollan frecuentemente una inteligencia que su cerebro, poco científico, confundía con la razón.

—Ya te dije ayer que lo lamentaba — repitió, acercándose a la entrada de la madriguera del osezno —. Y es verdad. Lamento en extremo haber matado a tu madre. Pero necesitábamos carne y grasa. Por lo demás, lo mismo *Miki* que yo sabremos resarcirte de eso. Vamos a llevarte con nosotros a casa de la pequeña, y si no aprendes a quererla serás la más mezquina e innoble de todas las criaturas y un cernícalo indigno de tener una madre. El perrillo y tú vais a ser hermanos. Su pobre madre también murió, y de hambre, lo que es mucho peor que recibir un balazo en el vientre. Y yo encontré al pequeñuelo, como te he encontrado a ti, gimiendo y llorando sobre el cadáver de su madre, como si ya no le quedara nada en el mundo. ¡Así es que rechaza ese enfado y dame la pata! ¡Hagamos las paces!

Challoner alargó una mano. El osezno permaneció inmóvil, como si fuera de piedra. Momentos antes habría gruñido y enseñado los dientes. Ahora, en cambio, prefería hacerse el muerto o el insensible. Aquella bestia humana le resultaba la más extraña de todas las que había visto en su vida. El día anterior no le hizo otro mal que meterlo en el saco. Pero ahora no parecía dispuesto a hacerle mal alguno. Además, su palabra no era ni desagradable ni amenazadora.

Los ojos del osezno se posaron sobre *Miki*. El perrillo, sentado ahora con toda naturalidad a los pies de su amo, miraba a *Niva* con aire asombrado e interrogador, como si le dijera:

"¿Por qué no te decides a salir de esa madriguera y vienes a ayudarnos a hacer el desayuno...?"

La mano del cazador seguía acercándose al osezno, que retrocedía, retrocedía... hasta que no hubo una pulgada más de espacio tras de sí. Entonces se produjo el milagro. La pata delantera del monstruo humano le tocó la cabeza. Un estremecimiento de extraño terror le recorrió. Sin embargo, aquello no le hizo daño alguno. Antes habría gruñido y mordido; pero ahora, estando prisionero, no podía hacer ni lo uno ni lo otro.

Challoner deslizó sus dedos por el cuello del osezno. *Miki,* suponiendo que iba a ocurrir algo asombroso, miraba la operación con ojos asustados.

Entonces, el cazador, cerrando su diestra, cogió al osezno por la piel del cuello, como hacen las madres de los mamíferos, y se lo puso entre los brazos. El animal removíase como si intentase saltar y se puso a gemir tan fuerte, que el perro elevó la voz por pura simpatía, tomando parte en aquel concierto de angustia.

Medio minuto después, *Niva* estaba de nuevo metido en un saco, pero esta vez el cazador habíale dejado la cabeza fuera. Luego ató la boca del saco con un fuerte bramante. La bestezuela quedaba así prisionera en tres cuartas partes de su cuerpo, como si fuera un *osezno de bolsillo.*

Dejándolo luego revolcarse y rodar a manera de protesta, Challoner se ocupó del desayuno. Por primera vez el glotón *Miki* encontraba una ocupación más interesante que aquélla, y rondaba alrededor del cautivo (que seguía lanzando gemidos), tratando en vano de prestarle el consuelo de su simpatía. *Niva* acabó por estarse quieto. Y *Miki* se sentó junto a él, mirando a su amo con ojos intrigados, por no decir escandalizados.

El cielo se coloreaba con una promesa de sol cuando Challoner se dispuso a reanudar su largo viaje hacia el Sur. Comenzó a cargar su canoa, dejando a *Niva* y a *Miki* para embarcarlos en último lugar. Arregló en la proa un muelle nido con la piel de *Nuzak.* Luego llamó a *Miki* y le ató al cuello el extremo de una cuerda vieja, fijando el otro extremo al cuello de *Niva.* El osezno y el perrillo quedaron así emparejados por un mismo lazo de un metro de longitud. Después, cogiendo a los dos cachorros por la piel del cuello, los transportó a la canoa, instalándolos en el rincón preparado para ellos.

—Ahora, jóvenes, procurad ser prudentes — les dijo

a modo de advertencia —. Vamos a intentar hacer hoy cuarenta millas, para ganar el tiempo perdido ayer.

En el momento en que la canoa desamarraba, un rayo de sol atravesó el cielo por el horizonte oriental.

CAPÍTULO V

LA CATARATA

Cuando la pequeña embarcación comenzó a deslizarse sobre la superficie del lago, se produjo en el ánimo de *Niva* un cambio de humor extraordinario, que escapó a Challoner e incluso a *Miki*. Todas las fibras de su cuerpo vibraron, y su corazoncillo se estremeció como el día de la gloriosa batalla entre su madre y *Makus*. ¡Creyó que todo lo que había perdido iba a volver de nuevo, y que pronto iría todo bien *porque percibía el olor de su madre!* Pero luego descubrió que aquel olor provenía de la enorme piel sobre la cual iba echado, y el pobre osezno se acurrucó sobre ella, mirando a Challoner por encima de sus patas.

¡Enigma indescifrable para *Niva!* La bestia humana estaba allí, dirigiendo la embarcación, y su madre iba debajo de él, caliente y dulce, ¡pero aterradoramente tranquila!... El osezno no pudo reprimir el leve gruñido de cariño que siempre dirigía a su madre amada, pero no obtuvo otra respuesta que un lastimoso lamento de simpatía de su compañero de viaje, el gran *Miki*. ¡Ay, la madre del osezno no se movía! ¡No hacía ruido tampoco, y el cachorrillo sólo podía distinguir de ella su piel negra y aterciopelada!... Ya no tenía brazos, ni piernas, ni cabeza, y él no podía acurrucarse entre aquellas patas que tanto amaba, donde le gustaba guarecerse como en un seguro refugio..., ni encontraba las orejas que tanto le gustaba acariciar y morder. Tan sólo subsistía de ella aquella extraña piel, y *su olor*, su olor inconfundible.

Sin embargo, el osezno experimentaba ahora un inmenso consuelo, que prestaba algún calor a su pobre almita aterida y abandonada. Sentía la vecindad de una fuerza protectora e indestructible, la de su madre. El pelo de su espalda se erizó cuando aparecieron los primeros rayos solares, y puso su hociquillo moreno entre sus patas sobre la piel maternal. *Miki,* en la misma actitud, le miraba atentamente, como si se esforzara en resolver el enigma que envolvía a su nuevo compañero.

Con su grotesca cabeza, mostrando aquella oreja completa y la otra mutilada; con sus bigotes erizados, herencia de su bisabuelo *Airedale,* se esforzaba en llegar a comprender el misterio de *Niva.* Desde el principio, él había aceptado al osezno como un verdadero camarada, y el ingrato había comenzado por propinarle una soberana paliza. Aun esto podía *Miki* perdonarlo y lo perdonaba. Pero lo que resultaba de todo punto imperdonable era la falta absoluta de consideración que el cachorro le mostraba. El osezno no prestaba la menor atención a sus más regocijadas fiestas, a sus más extremados agasajos. Cuando el perro se puso a saltar y brincar, invitándolo cariñosamente con sus estremecimientos y contorsiones a una partida de juego o de amable lucha, el otro se conformó con mirarlo como un idiota. El perro preguntábase si acaso el pegarse con alguien era lo único que le gustaba. Pero pasó bastante tiempo antes de que *Miki* se resolviera a intentar una nueva experiencia sobre este punto.

Esto ocurrió exactamente en el intervalo que separaba el desayuno del almuerzo, precisamente a media mañana. Desde que se embarcaron, *Niva* apenas si se había movido, y el pobre *Miki* se moría de aburrimiento.

El recuerdo de la paliza del día anterior habíase borrado por completo de la noble mente del perro. que miraba el porvenir con gran optimismo y confianza. Hacía más de una hora que la canoa de Challoner había salido del lago, y ahora navegaba por un río de corriente muy rápida que se deslizaba por la pendiente sur que separa el Jackson's Knee del río Shamattawa. Este río, alimentado por el gran lago, era desconocido por completo de Challoner, que observaba con ojo avizor el descenso, en guardia contra la corriente impetuosa y las traicioneras cataratas.

Desde hacía cosa de media hora, la corriente se tornaba, en efecto, cada vez más rápida, y el cazador pensaba con muy buen acuerdo que pronto tendría que hacer una gran parte de su camino a pie. No tardó en llegar a sus oídos el rumor profundo y tranquilo que le advertía la proximidad de una zona peligrosa. Y al volver la curva de la corriente, pudo distinguir, a cuatrocientos o quinientos metros río abajo, la espuma del peligroso torbellino.

Por suerte, la canoa se deslizaba, aunque con gran ímpetu, muy cerca de la orilla. El cazador abarcó de un golpe la situación. El río se deslizaba por allí entre un alto muro de roca, por un lado, y un bosque espeso, por otro, cuyas ramas y hierbas lamía dulcemente el paso de las aguas. Challoner se dispuso a arribar, como es lógico, a esta orilla del bosque. Entonces, haciendo oblicuar a la pequeña embarcación cuarenta y cinco grados, remó con toda su fuerza para contrarrestar la de la corriente, cada vez más impetuosa. Pensaba que tendría tiempo suficiente para recalar, antes de que las aguas le arrastraran. Por encima del ruido de la corriente, el hombre percibía ahora con toda claridad el fiero rugido de la catarata.

Y fue precisamente en este momento, por todos extremos inoportuno, cuando *Miki* se decidió a hacer una nueva caricia a *Niva* con objeto de estrechar mejor la naciente amistad. Con un estremecimiento cariñoso y dulce, el perro avanzó una mano. Pero *Miki,* para su edad, tenía miembros enormes; sus manos eran largas y descarnadas, y cuando su manaza cayó de plano sobre el morro de *Niva,* fue con la fuerza de un guante de boxeo manejado de modo experto. Hay que tener en cuenta, además, que este movimiento sorprendió al osezno por lo rápido e inesperado; y, para colmo, *Miki,* levantando al mismo tiempo su otra mano, la dejó caer, como una maza, sobre un ojo de *Niva.* Esto era demasiado, aunque se tratara de un amigo. Y con un corto rugido de rabia, el osezno se puso en pie y cayó como un rayo sobre su compañero de aventuras.

Miki, aunque en la lucha del día anterior hubiérase apresurado a pedir gracia, provenía a su vez de una raza de combate. (No se mezcla en vano la sangre de un *Mackenzie,* el perro que tiene las más gruesas patas, músculos más fuertes y mayor vigor, con la sangre de un *Spitz* o de un *Airedale*. Si el *Mackenzie*, a pesar de su fuerza bovina, es en todo tiempo apacible y de buen carácter, los *Spitz* y *Airedale* parecen tener el diablo en el cuerpo y no se puede decir cuál de los dos es más agresivo y está siempre más dispuesto al combate.) Y el pacífico y dulcísimo *Miki* sintió de pronto despertarse el diablo en él... Esta vez no pidió gracia, extendiendo sus patas. Afrontó, por el contrario, los mordiscos del osezno, y en dos segundos se trabó un combate de primera clase en la proa de la pequeña embarcación.

En vano Challoner se desgañitó para restablecer el orden entre ellos, al tiempo que remaba desesperadamente, deseando escapar a la acción cada vez más viva e impetuosa del río. *Niva* y *Miki* estaban demasiado ocupados para escucharle. De nuevo las cuatro patas del can se agitaban en el aire, pero esta vez sus agudos dientes se hundían en la piel floja del osezno bajo el cuello, mientras golpeaba furiosamente con sus cuatro extremidades, a modo de mazas, a su enemigo. Éste habría acabado por retroceder, a no ocurrir lo que el cazador preveía desde el principio del singular combate: enlazados, mordiéndose y golpeándose, los dos contendientes rodaron al agua, desapareciendo bajo las ondas.

Al cabo de diez segundos, Challoner les vio subir de nuevo a la superficie, a treinta pies de la barca, río abajo. Las dos cabecitas flotaban casi juntas, y los enemigos de un instante eran arrastrados ahora por la furiosa corriente hacia un fatal destino. Challoner lanzó un grito de angustia, de dolor sincero, pues le era imposible salvarlos, y quería a *Miki*, que había sido, desde hacía muchas semanas, su único compañero y amigo en aquellas soledades.

Unidos por la cuerda que se ataba a sus cuellos. *Niva* y *Miki* fueron bien pronto arrastrados hacia el torbellino espumante de las aguas. Para el perro resultaba una verdadera suerte que su amo hubiese tenido la idea de atarle a la misma cuerda del osezno. El perro, que tenía tres meses, pesaba catorce libras, de las cuales un ochenta por ciento eran huesos, y escasamente un medio por ciento de grasa, mientras que el osezno, que pesaba trece libras, tenía un noventa por ciento de manteca. Desde el punto de vista de la flotabilidad de los cuerpos, *Miki* se hubiera portado, de ir solo, como una pequeña ancla, hundiéndose en seguida hasta el fondo del río, mientras que *Niva* hubiese flotado horas y horas sobre las aguas, semejante a una bola de corcho insumergible.

Pero ni el uno ni el otro eran cobardes, y *Miki,* aunque sumergido casi siempre en los primeros cien metros que recorrieron arrastrados por las aguas, no cesó un instante de esforzarse por mantener su morro en el aire. Tan pronto nadaba panza abajo como panza arriba, pero siempre el animalito pataleaba con sus extremidades, como si fueran remos.

Por su parte, *Niva* procuraba tragar la menor cantidad posible de agua. Si hubiera ido solo, sus trece libras de grasa le hubieran llevado flotando por el río como si fuese un balón de fútbol. Pero llevando aquel lastre de las catorce libras del perro al cuello, era para el osezno un verdadero problema el no hundirse. De vez en cuando, un remolino de la corriente parecía tragarse a *Miki,* que desaparecía de la superficie por completo, y entonces el osezno era arrastrado a su vez por el incómodo compañero hacia el fondo; pero siempre *Niva* volvía a la superficie, agitando de un modo desesperado sus cuatro patas a manera de paletas o de remos.

Mas..., llegaban a la catarata. *Miki,* por suerte para él, había empezado a habituarse a su nuevo medio de vida, y perdió la facultad de apreciar el horror del cataclismo hacia el que se encaminaban irremediablemente. Ya no pataleaba apenas. Oía como un rumor lejano el bramido de la catarata, pero no le causaba el terror que al principio. En una palabra y para decirlo más pronto: comenzaba a ahogarse.

A *Niva,* por el contrario, la Naturaleza le negaba la grata sensación de una muerte casi insensible. Ningún osezno del mundo hubiera estado más vivo y alerta que él cuando se produjo la catástrofe. Llevaba la cabeza alta, emergiendo mucho sobre el agua, y conservaba todos sus sentidos.

De pronto, el río pareció desaparecer ante sus ojos... y se sintió precipitado por una fuerza brutal hacia el vacío, cayendo en el alud de las aguas, cesando de sentir en su propio cuello la tracción de *Miki.*

Challoner hubiera podido apreciar exactamente la profundidad del abismo que se abría a sus pies; pero si *Niva* hubiese tenido la misma facultad, la habría apreciado en una milla, cuando menos. El pobre *Miki,* por su parte, cayó incapaz de apreciar nada. Sus patas habían quedado inertes, y se abandonaba por completo a su triste destino. Pero *Niva* volvió a salir de nuevo a la superficie, arrastrando con él al pobre compañero. Y ya estaba a punto de ahogarse, cuando el osezno fue lanzado por la corriente sobre un montón de ramaje que flotaba. *Niva,* agarrándose con un esfuerzo desesperado a aquella tabla de salvación, hizo salir fuera del agua la cabeza del perro, quedando éste colgado por el cuello al borde del despojo, como un ahorcado al extremo de su cuerda.

CAPÍTULO VI

UNA TRAVESÍA ACCIDENTADA

Es dudoso creer que, en los instantes que transcurrieron hasta aquel salvamento milagroso, atravesara el cerebro de *Niva* un razonamiento definido; como también sería exagerado suponer que había trepado a la isla flotante para salvar al pobre *Miki,* ya casi inconsciente y medio muerto. Su única ambición era ganar un terreno seco y sólido, pero al hacerlo arrastró necesariamente al perrillo.

Clavando en la madera flotante sus agudas garras, tiró de la cuerda y poco a poco, con la cabeza ahora en alto, *Miki* se encontró izado fuera de la corriente helada y hostil. Fue una maniobra muy sencilla. *Niva* alcanzó el tronco de un árbol alrededor del cual el agua refluía, se agachó y agarróse como jamás lo había hecho en su vida.

Desde la orilla era imposible distinguir la pequeña isla flotante, a causa de los espesos matorrales que bordeaban el río; de otro modo, diez minutos después, Challoner los hubiera visto.

En realidad, el pobre *Miki* no había recobrado por completo el dominio de sus sentidos para olfatear u oír a su amo cuando éste, momentos después, vino hasta la orilla a observar si había alguna probabilidad de que su pobre perro se hubiera salvado. En cuanto a *Niva,* que olfateó la proximidad de Challoner, se aferró al madero con redoblado ardor: el desgraciado osezno había conocido de sobra a la bestia humana, a la odiosa bestia humana, para cuanto le quedaba de vida.

Aún pasó media hora antes de que *Miki* comenzase a hipar, toser y vomitar agua a torrentes; y por primera vez, después de su riña en el bote, el osezno pareció interesarse vivamente por su compañero de fatigas. Pasaron otros diez minutos: *Miki* levantó la cabeza y miró a su alrededor. Entonces *Niva* dio un tirón de la cuerda, como para advertir a su compañero que debían darse prisa si querían llegar sanos y salvos a la orilla. Y *Miki,* calado y lamentable, más parecido a un esqueleto famélico que a una criatura de carne, intentó agitar un poquito la cola, en agradecimiento a su salvador.

Tiritaba aún, metido en cinco centímetros de agua, lanzando miradas de envidia hacia donde se encontraba su camarada, que estaba en seco, en un tronco más alto. El perrillo intentó unirse a su compañero. Pero la suerte estaba contra él. En el momento en que se disponía a trepar al tronco de *Niva,* sus movimientos comunicaron al madero el impulso necesario para separarlo de los demás restos flotantes. Lentamente al principio, la curva del río separó de su anclaje un extremo del tronco. Después el hilo de la corriente le cogió a traición y de un modo tan repentino, que *Miki* estuvo a punto de perder su inestable equilibrio. El árbol se ocultó, surgió luego, y se puso a huir con una rapidez que hubiera cortado el aliento al mismo Challoner en su fiel piragua. Precisamente éste se disponía a transportar su embarcación al otro lado de la catarata. Pero considerando como una imprudencia inexcusable ponerla a flote en los rabiones en que los hermanos siameses realizaban su heroica navegación, prefirió perder dos horas en transportar su equipaje a través del bosque hasta media milla más lejos de la terrible catarata.

Para el osezno y para *Miki,* aquella travesía de media milla fue algo inolvidable y espeluznante, que habría de quedar en su memoria mientras viviesen.

Iban uno frente a otro, el osezno con sus uñas hundidas en la corteza del tronco flotante, y sus ojillos negros casi fuera de las órbitas; en cuanto a *Miki,* desde un principio pareció imposible que conservara el equilibrio en la improvisada embarcación. Como no podía hundir sus garras en la madera, a semejanza del osezno, tenía que procurar mantenerse en equilibrio e iba de un lado a otro del tronco, agachándose o levantándose según los movimientos de la inquieta nave. Y a cada instante, las fauces de lo Desconocido parecían abrirse para devorarlo.

Los ojos de *Niva* no se apartaban de él ni un segundo, y a juzgar por la mortal atención e intensidad de su mirada, comprendía perfectamente que su seguridad personal dependía más de las capacidades náuticas de su compañero que de la propia fuerza de sus garras. Si el perro iba al agua otra vez, él no tendría más remedio que seguirle.

El tronco que les sostenía, más grueso y pesado por un extremo que por el otro, se deslizaba velozmente semejante a un torpedo. *Niva* daba la espalda a la catarata y a su imponente grandiosidad, mientras *Miki* iba de cara y no perdía un detalle de tamaña belleza. De vez en cuando, el tronco caía en un torbellino de espuma, desapareciendo un instante; entonces el pobre *Miki,* conteniendo el aliento, cerraba los ojos, mientras *Niva* apretaba aún más sus garras hundiéndolas en la corteza del tronco.

Una vez, la extraña nave estuvo a punto de estrellarse contra una roca... Y el osezno y el perro, antes de hallarse a la mitad de su accidentado viaje, semejaban dos bolas de espuma jabonosa, entre las que relucían unos ojos que reflejaban el espanto.

El ruido ensordecedor de la catarata se fue alejando poco a poco; las enormes rocas que emergían en el lecho del río, y alrededor de las cuales las aguas parecían hervir con un estrépito formidable, comenzaron a esparcirse también..., y el tronco salió a los espacios libres de la corriente, alcanzando al fin el sitio por donde las aguas se deslizaban tranquilas. Y solamente entonces las dos bolas de espuma jabonosa se atrevieron a hacer un movimiento voluntario.

El oso volvió la cabeza y contempló por primera vez la región que acababan de atravesar y donde sufrieron tan terribles angustias. El perro, que miraba río abajo, se dio cuenta de que se deslizaban ahora entre orillas tranquilas, a lo largo de un bosque profundo, bajo la caricia de un sol de oro. Todo su cuerpecillo se infló con una inspiración enorme y prolongada, y el suspiro con el que dio a entender que comenzaba a tranquilizarse fue tan hondo y sincero que las babas le salían por boca y narices. Se dio cuenta entonces de la postura incómoda en que se anquilosaba con una pata trasera torcida bajo él y una delantera aplastada bajo su pecho. La calma de las ondas y la proximidad de la orilla le hicieron recobrar la confianza y se puso en pie.

Miki poseía sobre *Niva* la ventaja de un viajero experimentado sobre un novato, ya que había navegado más de un mes en la piragua de su amo. Por esto no temía a las aguas, al menos a las aguas mansas y de ríos ordinarios, que no forman cataratas ni se salen de madre.

Así es que, un tanto repuesto del susto, tragó saliva, se sacudió un poco y lanzó un leve gruñido plañidero dirigido al pequeño osezno.

Pero *Niva* había tenido otra educación. Si bien era verdad que su iniciación en el deporte de la canoa databa de hoy únicamente, en cambio sabía muy bien lo que era un tronco de árbol. Más de una aventura le había enseñado que un tronco flotante es la cosa que más se parece a un ser viviente, es decir, un objeto dotado de capacidad casi ilimitada para jugar toda clase de tretas y malas pasadas. Esto era una laguna lamentable en el tesoro de conocimientos de *Miki*. Porque el perrillo, viendo que este tronco les había transportado a través de las aguas más furiosas y agitadas que jamás vieran sus ojos, lo consideraba como una canoa de primer orden, sin otro inconveneinte que tener la cubierta combada de un modo desagradable y molesto; pero esta ligera imperfección no le preocupaba apenas. Y bajo los ojos aterrados de *Niva*, que ya preveía la catástrofe, el can, como antes decimos, se puso en pie y comenzó a mirar, tranquilizado, en todas direcciones.

Instintivamente, el osezno se abrazó al tronco con todas sus fuerzas, en un abrazo desesperado, en el instante mismo en que *Miki* experimentaba el irresistible deseo de desembarazarse de la espuma que cubría su cuerpo fláccido de la cabeza a la cola. Muchas veces habíase sacudido con todas sus fuerzas en la piragua de su amo; ¿por qué no habría de hacerlo allí ahora?... Y sin contestar a esta pregunta, sin habérsela hecho siquiera, se sacudió, en efecto.

Como movido por un resorte, el tronco respondió inmediatamente a la terrible sacudida dando una vuelta de campana. Y, sin tener tiempo de lanzar el más leve alarido, *Miki* se fue al fondo como una piedra, produciendo en la superficie del agua un "chaff" sonoro.

Niva, a pesar de estar completamente sumergido también, se sostuvo agarrado al tronco; y cuando éste volvió a recuperar su primitiva posición, encontróse valientemente a flote de nuevo. El chapuzón le había lavado, librándole de la espuma que antes cubría su cuerpo. Buscó a *Miki*, y no viéndolo, creyó que había desaparecido para siempre. Sin embargo, un tirón de la cuerda le avisó que su compañero estaba en el fondo del río, pues no emergían del desdichado *Miki* ni patas, ni cóla, ni orejas, ni nada.

En aquel sitio casi no había corriente, y el osezno se aferraba al tronco con todas sus fuerzas; comprendía que de caer al agua él también, estaban irremisiblemente perdidos.

Mientras tanto, *Miki*, debatiéndose en el fondo del río con la desesperación del que se ahoga, hacía a la vez el papel de ancla y de timón... Lentamente, el tronco cambió de dirección, se encontró cogido por un remolino de bajo fondo, y fue a encallar en la fangosa orilla.

Niva entonces dio un salto loco, cayendo en tierra, y, electrizado al sentirla bajo sus patas, trató de emprender veloz carrera. El resultado de este esfuerzo fue que *Miki* surgió lentamente del fondo del río, despatarrado como un cangrejo, mientras el aire volvía a penetrar en sus pulmones. *Niva,* comprendiendo que su camarada no estaba por el momento en situación de seguirle, se sentó y esperó. *Miki* no tardó mucho en recobrar sus sentidos y ponerse en pie. Y en seguida se sacudió con tal vigor que el osezno quedó envuelto en un verdadero ciclón de agua y barro.

Si hubiesen seguido allí, Challoner los hubiera encontrado al cabo de una hora, pues andaba explorando las riberas en busca de sus cadáveres. Pero tal vez un instinto heredado de sus remotísimos antecesores advirtió a *Niva,* haciéndole temer esta eventualidad, porque poniéndose en pie arrastró a *Miki* hacia el interior del bosque. *Miki* le siguió de buen grado en aquella aventura nueva en su existencia.

El osezno comenzaba a recobrar su buen humor. Aunque le faltaba su madre, el bosque era su dominio familiar. Después de la aventura enloquecedora en compañía del perro y de la bestia humana, era casi dichoso, sintiendo las briznas de pino secas bajo sus patas, y olfateando los perfumes del bosque solitario. Aspiraba la brisa con inmensa delectación, y erguía sus orejillas puntiagudas, entusiasmado al sentirse de nuevo dueño de su humilde destino. Aunque era un bosque nuevo, no le importaba, porque para él todas las florestas se parecían, ya que le era imposible distinguir unas de otras en extensiones de kilómetros cuadrados.

En cambio, *Miki* experimentaba sensaciones distintas. Comenzaba a echar de menos a Challoner, le faltaba la vecindad del río, y sentíase cada vez más inquieto a medida que *Niva* le arrastraba hacia el interior misterioso de la arboleda. Decidido, al fin, a protestar enérgicamente, se detuvo tan en seco que el osezno, que caminaba confiado y cada vez más veloz, al llegar al extremo de la cuerda cayó de espaldas, lanzando un gruñido de sorpresa. *Miki* aprovechó esta ventaja para volver grupas, y valiéndose de la fuerza casi caballar heredada de su padre, de raza *Mackenzie,* dirigióse hacia el río y arrastró al pobre osezno cuatro o cinco metros, antes de que éste pudiera levantarse.

Entonces comenzó la lucha. Sentado cada cual, extendidas las patas delanteras y apoyadas firmemente en la tierra, los dos rivales tiraban de la cuerda hasta casi estrangularse, haciendo que sus ojos se salieran de las órbitas. El esfuerzo de *Niva* era tranquilo y sostenido, mientras que *Miki*, a la manera canina, tiraba acompasada y convulsivamente, dando pequeños saltitos que obligaban al osezno a ceder terreno palmo a palmo. La clave de la lucha estaba en saber cuál de los dos cuellos tendría mayor resistencia. Bajo la grasa del osezno no habían aún gran energía; en cambio, el perro, bajo su aspecto esquelético, disimulaba una gran fuerza. Así es que, después de haber resistido rígido y heroico durante un rato, *Niva*, viendo que su enemigo le arrastraba materialmente una docena de pies, renunció a la lucha y siguió dócilmente la dirección escogida por *Miki*.

Los instintos atávicos del perro le hubieran arrastrado en línea recta hacia el río. Pero *Miki* obedecía más bien a un recuerdo confuso que a su sentido de orientación. El osezno le siguió de mejor grado cuando observó que su compañero describía una grande e inútil curva que les alejaba con más lentitud, pero de un modo seguro, del temible río. Al cabo de otro cuarto de hora, *Miki* estaba completamente perdido en la selva. Entonces se sentó, miró a *Niva*, y confesó francamente la situación por medio de un débil ladrido.

El osezno había quedado inmóvil. Sus ojillos oscuros y penetrantes estaban fijos en un objeto que colgaba de un arbusto. Antes de la aparición en su vida de la bestia humana, el osezno consagraba las tres cuartas partes de su tiempo a comer. En cambio, desde el día anterior por la mañana no había comido nada en absoluto, ni siquiera el más pequeño insecto. Se sentía completamente vacío el estómago, y la vista de aquel objeto que pendía del árbol hacíale segregar saliva por todas las glándulas de su boca. Era un nido de avispas.

Muchas veces en los primeros días de su vida había visto a su madre *Nuzak* acercarse a nidos de este género, derribarlos, aplastarlos luego con su pata peluda y enorme, e invitarle luego a que se regalara con las avispas muertas. Durante más de un mes, en sus correrías por los bosques, este manjar había formado parte de su menú cotidiano, y era uno de sus platos favoritos. Se aproximó, pues, al nido. *Miki* le siguió. Cuando estuvieron a un metro, el perro comenzó a oír el zumbido inquietante. *Niva,* en cambio, no se alarmó. Calculando la distancia que le separaba del apetitoso nido, se acercó más al árbol, luego se irguió sobre sus patas traseras y, alargando las delanteras, echó abajo con una sacudida funesta el objeto que llamaba su atención.

Instantáneamente, el zumbido que había percibido antes *Miki* se transformó como por encanto en un rumor ensordecedor y amenazante. Con la rapidez de un rayo, la madre de *Niva* hubiese aplastado el nido bajo su garra. En cambio, la sacudida del osezno no había servido más que para desplazar la casa del terrible *Ahmu* y su peligrosa tribu. Y, precisamente, *Ahmu* se encontraba dentro con las tres cuartas partes de sus guerreros.

Antes que *Niva* pudiera dar un manotazo al nido, salió de éste una espesa nube de avispas. El pobre *Miki* lanzó un grito de dolor. *Ahmu* en persona habíase posado en la punta de su morro. *Niva* no se quejó, pero llevóse sus manecillas al hocico, restregándose fuertemente, mientras el pobre perro, sin dejar de lanzar gruñidos plañideros, hundía el suyo en la tierra desesperadamente. Un instante después, todo el ejército de *Ahmu* estaba en plena acción. Entonces *Niva* lanzó a su vez un gruñido prolongado y extraño, emprendiendo una carrera precipitada. *Miki* no se quedó atrás. En cada punto de su tierna piel sentía a cada instante la picadura mortal de una aguja al rojo vivo. Ahora era el osezno el que más ruido hacía. Su voz bronca recordaba la de los bajos de ópera, y contrastaba con el chillido agudo y lamentable de *Miki;* de haber pasado por allí algún indio habríase imaginado que los *loups-garous* (1) daban un baile.

Por fortuna, el heroísmo de las avispas es muy caballeresco; después de la vergonzosa huida de sus enemigos habrían vuelto a su fortaleza caída, si *Miki,* en el azoramiento de su fuga, no hubiera tenido la mala idea de ir a pasar por el lado de un árbol al tiempo que *Niva* pasaba por el otro. Esta desgracia los hizo detenerse tan bruscamente que, a poco más, se les hubiera partido el cuello. Visto lo cual, una docena de guerreros de la re-

(1) Especie de brujo o hechicero que, según las gentes supersticiosas de ciertas regiones francesas, vagan por la noche transformados en lobos. Es una leyenda transportada al Canadá por los primeros colonizadores de origen francés.

taguardia de *Ahmu* volvieron a la carga. *Niva*, cuyo espíritu combativo habíase despertado al fin, volvióse colérico, y dio un zarpazo en la grupa al pobre *Miki*, en un lugar desprovisto casi de pelo. El desgraciado perro, ya medio ciego, enloquecido de sufrimientos y de terror, creyó que las uñas del osezno eran nuevos aguijones de sus enemigos y, lanzando un tremendo aullido, cayó al suelo presa de convulsiones.

Este acceso le salvó. En sus locas contorsiones, rodó alrededor del árbol por el mismo lado de *Niva*, y éste, viéndose libre del obstáculo que le retenía, reanudó su veloz carrera. *Miki* le siguió, aullando a cada salto. El río ya no inspiraba horror alguno al osezno. Al contrario: el instinto le avisaba que debían dirigirse al agua cuanto antes. En línea recta, tan recta como la hubiera seguido Challoner consultando la brújula, arrastró a su compañero hacia la corriente. Unos cien metros más allá encontraron un arroyuelo que hubiesen podido franquear fácilmente de un salto. Pero, lejos de ello, *Niva* saltó dentro del agua, y *Miki*, por primera vez en su existencia, hizo una zambullida voluntaria. Y allí permanecieron un gran rato sumergidos en la corriente, que les llegaba hasta el pecho, sintiendo la dulce caricia de las aguas, que aliviaba sus heridas.

La luz del día llegaba ya triste y fugaz a los ojos de *Miki*, que empezaba a hincharse desde la punta del morro hasta la última vértebra de la cola. *Niva*, protegido por su grasa y por su espeso pelaje, sufría menos, y sus ojillos de animal de la selva veían mejor que los de su compañero de fatigas. A medida que corrían aquellas horas dolorosas, se iban precisando muchas cosas en su cerebro. Todas sus tribulaciones habían comenzado cuando apareció la bestia humana. Ella era quien le había arrebatado la madre, quien le metió a él en un saco oscuro, y, sobre todo, quien le había atado aquella maldita cuerda al cuello. Lentamente, pero con más seguridad a cada instante, el pobre osezno iba comprendiendo que aquella cuerda era la causa de todas sus desventuras.

Luego de un reposo prolongado en el agua, salieron del arroyo y encontraron, al pie de un gran árbol, un agujero lleno de broza seca. Hasta para los ojos agudos de *Niva* comenzaba a anochecer en la floresta. El sol se ocultaba en el horizonte, el aire iba siendo cada vez más fresco... *Miki,* echado sobre el vientre, con la cabeza hinchada entre sus patas delanteras, gemía dulcemente.

El osezno miró una y mil veces a la cuerda, a medida que la idea dominante se fijaba en su cerebro. Entonces se puso también a gemir, tanto para llorar a su madre, como para hacer coro a su desdichado compañero. Un irresistible deseo de camaradería le hizo acercarse a él. Al fin y al cabo, no era a *Miki* a quien había de odiar y censurar, sino a la bestia humana... y a aquella cuerda.

La tarde iba cayendo melancólicamente alrededor de ellos, y *Niva,* apretándose contra su compañero, cogió la cuerda entre sus peludas manos, le hincó los dientes con un leve gruñido y se puso a roerla pacientemente. De vez en cuando lanzaba otro gruñido, pero un gruñido comunicativo y bondadoso, como si hubiese querido decir a *Miki:*

"¿Ves?... ¡Voy a roer este diablo de cuerda!... ¡Antes de la aurora la habré cortado!... ¡Ánimo!... Es seguro que el día de mañana será para nosotros mejor que el horrible que acabamos de vivir."

CAPÍTULO VII

NÓMADAS DEL NORTE

Al día siguiente de su dolorosa experiencia con el nido de avispas, *Niva* y *Miki* se levantaron sobre sus patas hinchadas para saludar la infiltración de la aurora en las sombras del bosque, donde les había arrojado el accidente de la víspera. Parecían animales de una invencible juventud. *Miki,* a pesar de su aspecto grotesco, con aquella cómica hinchazón de su cuerpo, no sentía miedo alguno a las aventuras que les esperaban.

Su morro aparecía redondo como una luna llena, y su cabeza tan hinchada que hacía temer hiciese explosión, pero, a pesar de ello, sus ojillos, o, al menos lo que de sus ojillos podía verse, brillaban con su habitual alegría y confianza, al tiempo que sus dos orejas, la media y la entera, se erguían en dirección al osezno, como si esperara una señal cualquiera que le indicase lo que iban a hacer. El veneno esparcido por su cuerpo no le hacía sufrir ya. Sentíase mucho más ancho, pero, aparte este detalle, se encontraba perfectamente.

En *Niva,* protegido por su grasa y su piel, las huellas de la batalla no eran tan notorias. Su único deterioro manifiesto era el tener un ojo completamente cerrado. Pero con el otro, más que nunca abierto y alerta, miraba agudamente alrededor de él. A pesar de sus patas rígidas y de aparecer momentáneamente tuerto, experimentaba el optimismo de los que se sienten mimados de pronto por la fortuna. Había conseguido librarse de la bestia humana que mató a su madre; el bosque, con todos sus esplendores y hermosuras, abríase ante él, y, para colmo de felicidad, había conseguido roer por completo aquella cuerda durante la noche.

Así, aliviado de dos males al menos, no le hubiera extrañado al confiado osezno ver surgir a su propia madre, a la amada *Nuzak,* de entre los árboles. Este pensamiento le hizo gemir; *Miki* le contestó con un leve ladrido plañidero, porque al ver la vasta soledad de su nuevo mundo, recordaba a su amo adorado.

Los dos tenían hambre. La asombrosa rapidez de las desdichadas aventuras que les había deparado su mala estrella no les había dejado tiempo para comer. El cambio sobrevenido en la vida de *Miki* no sólo era asombroso, sino desastroso; esperando alguna nueva catástrofe, no se atrevía a respirar, mientras que *Niva* escudriñaba olfateando el ambiente.

Tranquilizado por aquella inspección, volvió la espalda al sol, según hacía su madre, y se puso en marcha.

Miki le siguió, dándose entonces cuenta de que todas sus articulaciones parecían haber desaparecido. Tenía el cuello anquilosado, las patas como zancos, y cinco veces en cinco minutos tropezó con sus torpes pies y cayó, a pesar de sus esfuerzos por no quedarse atrás. Además, con los párpados también hinchados, apenas veía. En su quinta caída, perdió por completo de vista al osezno, y lanzó un ladrido plañidero, una queja de impotencia y de protesta. *Niva* habíase detenido, hociqueando en un podrido tronco.

Cuando *Miki* le alcanzó, el osezno estaba echado en tierra, lamiendo tan aprisa como podía una colonia de hormigas rojas. *Miki* le miró durante unos instantes. Pronto comprendió que *Niva* comía algo, pero no podía averiguar lo que era. Olfateando con avidez se acercó y lamió el nido de hormigas, pero sólo acertó a tragar polvo y cascarillas de pino. Mientras tanto, *Niva* no cesaba de lanzar leves gruñidos de satisfacción. Pasaron diez minutos hasta tragarse la última hormiga. Entonces se levantó y reanudó la marcha.

Poco después llegaban a una húmeda plazoleta del bosque. *Niva,* luego de olfatear aquí y allá, se puso a escarbar el suelo con ardor. En poco tiempo desenterró un objeto blanco, un hermoso tubérculo, que partió glotonamente con sus colmillos. *Miki* logró atrapar un pedazo, pero, después de haberlo mascado un instante, lo dejó caer al suelo con evidentes señales de desagrado. El osezno se apoderó de aquel trozo de tubérculo, lanzando un gruñido de reconocimiento.

Siguieron andando. Durante dos mortales horas, *Miki* siguió a *Niva* dócilmente. El vacío de su estómago aumentaba, al mismo tiempo que iba disminuyendo la hinchazón de su cuerpo. El hambre se le tornaba intolerable. Pero no encontraba nada que comer, mientras que *Niva* a cada paso encontraba animalitos o insectos, hierbas o tubérculos que mascaba con satisfacción. Al cabo de aquellas dos horas, la minuta del osezno había alcanzado proporciones considerables, habiendo devorado, entre otras cosas, numerosos insectos negros o verdes, colonias enteras de hormigas negras y rojas, numerosos gusanos blancos arrancados al corazón de troncos podridos, una buena cantidad de caracoles y babosas, una ranilla joven, un huevo mal encobado de chorlito y, en lugar de legumbres, dos raíces y una col. Además lamía la resina de los pinos jóvenes aquí y allá, y mordisqueaba la hierba tierna.

Miki intentó en vano comer muchos de estos alimentos. Hubiera devorado la ranilla, a no haberle cogido la delantera el osezno. La resina le pegaba los dientes y su sabor amargo estuvo a punto de hacerle vomitar. Los caracoles le sabían a tierra o a piedrecillas, y habiendo querido probar los insectos que *Niva* devoraba con tanto placer, mordió uno, y tuvo que arrojarlo desolado, renunciando a continuar sus experimentos entomológicos. Desalentado, probó entonces a comer los alimentos vegetales, mordiendo un retoño, pero en vez de ser cualquier arbolillo de dulce savia, resultó que era una variedad de retama salvaje, lo que le puso la lengua y el paladar coriáceos y ásperos hasta más no poder. Entonces comprendió que, de toda la extensa minuta de *Niva,* la hierba era lo único que podía devorar para calmar su hambre espantosa.

Como para burlarse de su apetito feroz, su compañero de aventuras iba demostrando una creciente beatitud a medida que se enriquecía su extraña colección de manjares. En realidad *Niva* estaba en un bosque admirable desde el punto de vista de su alimentación, y no se cansaba de lanzar gruñidos de gozo. Para colmo de dicha, su ojo tuerto comenzaba a abrirse poco a poco e iba viendo con él como con el sano. Varias veces, al encontrar nuevos hormigueros, invitaba al perro con pequeños gruñidos incitantes a compartir el sabroso manjar. Hasta el mediodía *Miki* le siguió dócilmente. Y su fidelidad de satélite continuó hasta que vio a su compañero comerse temerariamente un panal de abejas salvajes, devorándolo después de haberlo aplastado contra el suelo.

A partir de este momento, *Miki* pareció comprender que debía cazar por su cuenta, y esta idea despertó en él un inmenso entusiasmo. Sus ojos habíanse abierto casi por completo, y sus patas comenzaban a perder aquella rigidez lamentable. La sangre guerrera y cazadora de sus antepasados se despertó en él al fin, y partió a su vez para obrar por cuenta propia. Bien pronto encontró una pista reciente, y poco después una perdiz salió volando de entre la maleza con gran ruido de alas. Aunque se alarmó, *Miki* sintió crecer su entusiasmo, y casi en seguida, al meter el hocico en un matorral, se encontró frente a frente con su comida.

Era *Wahu,* el lebrato. En un instante, *Miki* cayó sobre él, cogiéndole por la piel de la espalda. *Niva* oyó el ruido de las ramas y los gritos agudos de la víctima, y, suspendiendo su caza de hormigas, se abrió paso a través de los matorrales, hacia el lugar de la acción. *Miki*, saliendo de espaldas, dio la vuelta y se presentó ante su compañero. Llevaba triunfalmente el lebrato en la boca, y el animalito había cesado de debatirse y de gemir. *Miki* se echó al suelo con su víctima, y comenzó a despojarla de la piel, afectando un aire terrible. *Niva* se sentó junto a él, lanzando gruñidos afables. Entonces, los gruñidos de *Miki* aumentaron.

Niva continuó lanzando leves rugidos plañideros como si rogase a *Miki* que le dejara tomar parte en el festín. Luego se acercó y olfateó la deliciosa carne de la liebre. El perro, recordando que *Niva* habíale invitado repetidas veces a compartir sus festines de hormigas y de escarabajos, acabó por cesar en sus gruñidos de protesta, y consintió en que el osezno devorara una parte de la liebre.

El banquete terminó con el último huesecillo de la víctima. Entonces *Niva*, sentado en sus patas traseras, sacó, por primera vez después de la muerte de su madre, su puntiaguda y roja lengua, y se lamió detenidamente el morro. Ésta era señal de que se encontraba profundamente satisfecho. Por el momento no aspiraba más que a echar una siesta. Se estiró, pues, desentumeciendo sus miembros, y buscó con la mirada un árbol propicio.

La agradable sensación de hartura despertaba en *Miki*, por el contrario, un loco deseo de ejercicio y actividad. Teniendo en cuenta que el osezno masticaba cuidadosamente su comida, mientras el perro lo tragaba todo rápidamente, *Miki* había devorado las cuatro quintas partes de la liebre. Ya no tenía más hambre. Pero jamás había sentido con tanta viveza su cambio de ambiente, después de la terrible caída en la catarata. Por primera vez en su vida había matado y gustado el sabor de la sangre caliente y aquello le producía un bienestar incomparable que le llenaba de dulce beatitud. Ahora que ya había comenzado, el instinto de la caza vibraba en todas las fibras de su joven cuerpecillo. Y hubiese continuado cazando si *Niva* no hubiera encontrado en aquel preciso momento un sitio a propósito para dormir.

El osezno comenzó a trepar tronco arriba de un gran álamo. *Miki,* viendo a su amigo emprender la ascensión, se quedó absorto. El perro había visto a las ardillas y otros animales trepar a los árboles, como había visto volar los pájaros; pero lo que ahora veía en *Niva* le cortó la respiración. Y sólo cuando el osillo se instaló a su gusto en la horcadura del árbol expresó su sorpresa el can por medio de un ladrido de incredulidad. Luego se acercó al tronco del álamo donde se había encaramado el osezno y quiso imitarle. Pero pronto se convenció de que las facultades de trepar a los árboles estaban plenamente reservadas a su maravilloso compañero.

Desolado, retrocedió unos cuantos metros, y se sentó para estudiar la situación. No se le alcanzaba lo que *Niva* pudiese hacer allá arriba, pero no era ciertamente cazar insectos. Lanzó media docena de ladridos, pero *Niva* no se dignó contestar. Entonces el perro renunció a resolver el problema, y se extendió cuan largo era con un gemido de desaliento.

Mas no quería dormir. Al contrario; su ardiente deseo era hundirse en las profundidades de aquella selva fascinadora.

Había desechado la extraña aprensión que le obsesionaba antes del asesinato de la liebre. En un instante, bajo un montón de maleza, la Naturaleza había obrado uno de sus milagros de educación. En el intervalo de dos minutos, el perrillo lloricón y débil, enriquecido con la fuerza y con la inteligencia, habíase convertido en un animal valeroso y astuto, digno compañero de su camarada Challoner. El cálido estremecimiento de su víctima había despertado en él todos los instintos.

En la media hora que pasó echado sobre el vientre, aunque con los ojos y el oído alerta, mientras que *Niva* dormitaba, el perro se convirtió casi en adulto. No debía llegar a saber jamás que su padre, *Hela,* el *Mackenzie,* había sido el mejor cazador de toda la comarca de Little Fox, y que él solo había vencido en una ocasión a un reno macho. No, no lo sabía; pero lo sentía bajo la forma de un impulso persistente e imperioso.

Obedeciendo a aquel impulso de lucha, *Miki* escuchaba atentamente todos los murmullos de la selva, y su fino oído percibió bien pronto el monótono runruneo de *Kawuk,* el puerco espín.

Miki no se movió. Un instante después oyó el ligero crepitar de las espinas, y pronto *Kawuk,* surgiendo de entre la maleza, se irguió sobre sus patas traseras en un punto donde se filtraba un rayo de sol.

Desde hacía trece años, *Kawuk* vivía tranquilo en aquel solitario rincón, y ahora que ya era viejo pesaba sus buenas treinta libras. Se había retrasado aquel mediodía para comer, pero sentíase más dichoso que nunca. Su vista no era muy clara, ni siquiera en los días radiantes. La Naturaleza no le había adornado con ojos penetrantes, pero para suplir aquel defecto, habíale concedido una tremenda serie de espinas agudas. A una distancia de treinta pies no veía a *Miki.* Y *Miki* se encogió contra el suelo, advertido por su instinto de que debía dejar tranquila a una criatura de tal especie.

Durante un instante *Kawuk* permaneció erguido en posición vertical, lanzando el aullido propio de su especie. *Miki* le veía de perfil, y el puerco espín semejaba un funcionario obeso. Estaba tan gordo que su vientre sobresalía como la mitad de un balón, y tenía sus patas anteriores cruzadas por encima, semejantes casi a manos humanas. En una palabra, se le podría tomar más bien por una vieja hembra de su especie que por el jefe de la tribu.

Miki observó entonces a un nuevo personaje que acababa de salir a escena: era *Iskuasis,* la joven compañera del puerco espín, que acababa de salir de entre los matorrales. El viejo *Kawuk* no había pasado por lo visto de la edad romántica, porque al ver a la hembra se puso a hacer una serie de fiestas y carantoñas que debían de constituir sus mejores gracias y maneras. Comenzó bailando una especie de danza amorosa, saltando de una pata a otra, moviendo ridículamente el abdomen enorme, al tiempo que aullaba más fuerte que nunca. Los encantos de *Iskuasis* eran, por otra parte, capaces de volver loco a otro que hubiera sido mucho más viejo que el propio *Kawuk.* Era una hembra rubia, es decir, una albina, de las que tan raras son en su especie. Tenía el hocico rosado, rosadas eran las palmas de sus patas, y cada una de sus rosadas pupilas estaba circundada de un encantador iris azul. Pero, por lo visto, era una hembra fría, pues acogió con toda indiferencia las demostraciones amorosas del macho. Éste lo advirtió y cambió de táctica. Se puso en cuatro patas y comenzó a dar vueltas vertiginosamente, tratando de cogerse la cola. Pero cuando se detuvo, para juzgar el efecto de su ejercicio, tuvo la desagradable sorpresa de ver que *Iskuasis* había desaparecido.

Entonces se sentó, permaneciendo inmóvil durante un largo minuto, extrañado y silencioso. Luego, con gran consternación de *Miki,* se levantó de nuevo y se dirigió hacia el árbol donde dormía *Niva.* Y es que aquél era el álamo que le servía siempre de comedor al puerco espín. Se dispuso a trepar por el tronco, sin dejar de lanzar sus clásicos aullidos. *Miki* sintió que su pelo se le erizaba. Ignoraba que *Kawuk,* como todos los animales de su especie, era el ser más inofensivo del mundo, y no había hecho jamás mal a nadie, a menos de verse atacado. Pero como el can no sabía nada de eso, decidióse a lanzar una serie continuada de ladridos, a fin de prevenir a *Niva* del peligro.

El osezno se despertó, abrió lentamente los ojos, y al ver a pocos pies de él aquel morro espinoso, se estremeció de terror. Con una rapidez que le puso en trance de venir al suelo, *Niva* se incorporó y comenzó a retroceder subiendo más alto. *Kawuk* no se inmutó ni poco ni mucho. Ahora que *Iskuasis* se había marchado, él sólo estaba atento a su comida. Continuó, pues, su ascensión con toda tranquilidad y *Niva,* aterrorizado, retrocedió sobre una rama para dejarle el tronco libre.

Pero, por desgracia, era precisamente en aquella rama donde *Kawuk* había tomado su última comida, y se aventuró por ella, pareciendo seguir ignorando la presencia de *Niva. Miki,* observando lo que pasaba, comenzó a ladrar con tanta furia, que el viejo *Kawuk* acabó por comprender que algo anormal ocurría al pie del árbol. Entonces miró, viendo a *Miki* agotarse en vanos esfuerzos por saltar sobre el tronco. El osezno agarrábase ferozmente a la rama, siéndole ya imposible retroceder ni un paso: bajo su peso, la rama habíase combado de una manera alarmante.

En este momento, *Kawuk* lazó un aullido lleno de

cólera. Y *Miki,* después de un último y desesperado ladrido, retrocedió dos pasos y se sentó, mirando a lo alto en espera del desenlace del tremendo drama que iba a representarse sobre su cabeza.

Kawuk avanzaba prudentemente, con intermitencias, y *Niva* iba retrocediendo pulgada a pulgada, hasta que al fin se escurrió y quedó agarrado a la misma punta de la rama, panza arriba. El puero espín cesó de gruñir y se puso a comer tranquilamente. *Niva* se sostuvo durante dos o tres minutos: por dos veces procuró izarse de nuevo... hasta que al fin sus patas traseras escurriéronse; durante una docena de segundos permaneció suspendido por las patas delanteras, y por último cayó desde una altura de quince pies.

Aterrizó junto a *Miki* con un choque sordo que le cortó la respiración, se levantó gruñendo, lanzó hacia el árbol una mirada rencorosa, y sin ninguna explicación a *Miki* echó a correr hacia la parte más espesa de la selva, en dirección a la gran aventura que iba a constituir para los dos amigos una prueba definitiva.

CAPÍTULO VIII

PÁJAROS NOCTURNOS

Niva no se detuvo hasta haber recorrido lo menos un cuarto de milla.

Miki creyó que acababa de caer repentinamente el crepúsculo. La parte del bosque adonde le había conducido en su fuga el osezno parecía una enorme y misteriosa caverna. El mismo Challoner se hubiese detenido en aquel sitio, impresionado por la grandeza del silencio, seducido por los murmullos enigmáticos que lo formaban. El sol estaba todavía muy alto en el horizonte, y, sin embargo, ni el más leve de sus rayos lograba atravesar el espesor de los cedros y abetos, suspendidos sobre la cabeza de *Miki* y de *Niva* como la altísima cúpula de un templo colosal. Alrededor de ellos no crecían ni matas ni arbustos, ni una flor, ni una brizna de hierba; el suelo aparecía cubierto de una espesa capa de briznas de abeto y de hojas de cedro que ahogaba toda manifestación de vida. Se podía imaginar que vivían allí las ninfas de la selva, bien resguardadas contra el viento, la lluvia y la nieve, y aun que los *loups-garous* habían escogido por escondite aquella fantástica y grave soledad para cumplir su horrible misión entre los hijos de los hombres.

No se oía el más leve gorjeo de pájaros en los árboles, y el silencio era tan solemne que *Miki* podía oír perfectamente los latidos de su propio corazón. Miró al osezno, cuyos ojillos relucían de un modo extraño en la oscuridad de la selva. No sentían miedo, y sin embargo, en el silencio de aquella cripta, su camaradería nació por segunda vez, y había en ella algo nuevo que penetró sus almitas salvajes, llenando el vacío que en ellas dejaron la muerte de una madre y la ausencia de un amo.

El joven perro gimió dulcemente, y *Niva* contestóle con una especie de runruneo seguido de un gruñido agudo, semejante al de un lechoncillo. Se apretaron uno contra otro, lomo contra lomo, frente al mundo.

Al cabo de algún tiempo, se decidieron a continuar marchando, como dos niños que, cogidos de la mano, se atreven a explorar el misterio de una habitación vacía y oscura. No cazaban, y, sin embargo, todos los instintos de caza estaban despiertos en ellos. De vez en cuando se detenían a mirar, escuchar y olfatear el ambiente.

Aquel lugar recordaba a *Niva* la oscura caverna en que había nacido. ¿Iba a surgir su madre por una de aquellas sombrías avenidas?... ¿Estaría dormida por allí, ella que dormía tan bien en el fondo de su agujero?... ¡Quién sabe si estas preguntas se esbozaron en su espíritu! Todo allí, como en su antro, estaba mortalmente tranquilo y, a poca distancia, la penumbra espesábase en mayores agujeros. Era uno de esos sitios que los indios llaman *Muhnedu,* una parte de la selva donde la presencia de los demonios ha cerrado toda fuente de vida. Porque sólo los demonios saben hacer crecer los árboles lo suficientemente espesos para que el sol no los penetre nunca, y sólo los búhos pueden hacer compañía a esos malos espíritus.

Un lobo adulto hubiese retrocedido en aquel lugar, y

una zorra habría vuelto asimismo grupas. Hasta el feroz armiño hubiera sondeado aquellos lugares con sus minúsculos y redondos ojos y, sin espanto, pero advertido por el instinto, habría buscado una fronda menos espesa. Allí, a despecho de la calma y de la oscuridad, *sentíase palpitar la vida* emboscada en aquellos abismos de sombra. Aquella vida comenzó a agitarse en el preciso momento en que *Niva* y *Miki* se hundían en pleno silencio, y un fuego verdoso comenzó a brillar en el fondo de unos ojos redondos como bolas. Sin embargo, ni el más leve rumor producíase en el espeso ramaje, ni un ligero movimiento. Semejantes a los gnomos y los espíritus de la selva, los búhos monstruosos observan desde allá arriba, recuperando lentamente sus espíritus, y... aguardan.

De pronto, una sombra enorme se desprendió del caos sombrío y pasó tan cerca de las cabezas de nuestros dos héroes, que ambos oyeron el rumor amenazador de sus alas gigantes. En el instante en que desaparecía la lúgubre criatura, oyeron un silbido, seguido del áspero restallar de un pico poderoso. *Miki* se estremeció. El instinto, que trataba de despertarse en él, se inflamó como la pólvora. E inmediatamente percibió la vecindad de un peligro aterrador y desconocido.

Ahora se propagaban ciertos ruidos extraños alrededor de ellos, chasquidos leves en las ramas de los árboles, fantásticas vibraciones en el aire, y algo también semejante a golpes secos y metálicos que vibraban sobre sus cabezas. *Miki* vio la gran sombra volver de nuevo. Y, bien pronto, a aquella sombra sucedió otra, luego otra, y otra después, cual si la bóveda arbórea estuviese llena de fantasmas. Y con cada sombra repetíase la amenaza chirriante de aquellos picos horribles.

Miki optó por echarse a tierra; pero su actitud no significaba miedo en modo alguno. Con los músculos contraídos, gruñía enseñando los dientes, cada vez que uno pasaba rozándole con las alas.

En cuanto a *Niva*, gruñía también de un modo que recordaba el rugido de desafío de su madre. Habíase puesto en pie, como hacen siempre los osos para atacar o defenderse.

Y, de pronto, sintió que una de las sombras se abatía

sobre él, con la rapidez de una flecha monstruosa disparada en la noche.

A seis pies de distancia, *Miki* vio a su pobre camarada sepultado bajo una masa gris, y él mismo quedó durante unos instantes paralizado por el aspecto horripilante de aquellas alas gigantescas. *Niva* no lanzó el más leve gruñido. Caído de espaldas, hundía sus garras en tal cantidad de plumas, que el osezno se imaginaba tener encima un ser fantástico, sin piel ni carne. Sentía sobre él la presencia concreta de la Muerte. El batir de aquellas alas recordaba los golpes de una maza. *Niva* no respiraba, tenía como embotados y paralizados sus sentidos, pero continuaba arañando con todas sus fuerzas aquel pecho sin carne.

En su primer y feroz ataque, *Uhumisiu,* cuyas alas medían cinco pies de punta a punta, había fallado en una fracción de pulgada su presa mortal. En lugar de hundir sus garras como cuchillos en pleno corazón de la víctima, había cerrado sus feroces dedos cogiendo no más el pelo espeso y la piel fofa del osezno. Ahora intentaba abatir a su presa por medio de golpes de alas, esperando el instante propicio para acabarlo con un golpe de su terrible pico corvo. Medio minuto más, y el morro del osillo sería materialmente despedazado.

Precisamente porque *Niva* guardaba absoluto silencio, *Miki,* extrañado, lleno de curiosidad agresiva, se levantó, y, con el morro arrugado y un gruñido en la garganta, se fue acercando al pajarraco y a su pobre amigo. De pronto su leve temor fue substituido por un estremecimiento de alegría. Había reconocido a su enemigo predilecto, *un pájaro.* Para Miki, las aves eran una presa, no una amenaza. Muchas veces, durante su regreso a las altas regiones, Challoner había cazado ocas del Canadá o grullas de grandes alas. El perro habíase regalado con su carne. Dos veces había perseguido grullas heridas ladrando con todas sus fuerzas, *y huyeron ante él.* Por eso esta vez *Miki,* sin ladrar ni gruñir, se lanzó como un relámpago sobre aquella masa de plumas. Sus catorce libras de carne y de huesos, con la fuerza de una piedra, golpearon a *Uhumisiu,* que, arrancado de su presa, cayó de lado con un gran batir de alas.

Antes de que pudiera recobrar el equilibrio el pajarraco, *Miki* cayó de nuevo sobre él, dirigiéndole mordiscos feroces en la cabeza, al sitio donde precisamente había mordido a la grulla herida. El pájaro cayó al fin de espaldas, y sólo entonces *Miki* lanzó una serie de irritados y amenazadores ladridos. Aquél era un ruido nuevo para *Uhumisiu* y sus hermanos, que, desde las ramas de los árboles, observaban el combate. El tableteo de los picos se debilitó en la distancia, y *Uhumisiu,* de un vuelo vigoroso, se elevó en los aires.

Miki, bien plantado ahora, con las patas extendidas, continuó ladrando, levantando el morro y enseñando los colmillos a la bóveda en sombras, como si desafiara a sus enemigos. Ahora deseaba con todas sus fuerzas que el pajarraco se atreviera a volver a la carga. ¡Hubiera querido arrancarle las plumas!

Pero mientras él lanzaba su salvaje provocación, *Niva* se puso en pie. Luego, con un leve gruñido dirigido a su compañero de aventuras, salió corriendo precipitadamente. Huía el osezno, y, en su huida, parecía decir al perro: "Si tú procedes como un ignorante, yo, en cambio, comprendo perfectamente la situación..." Él obedecía a los instintos legados por millares de generaciones. Comprendía que la Muerte habitaba en aquellos parajes y se puso a correr como no había corrido en su vida. *Miki* le siguió. Los espectros volantes comenzaban a acercarse de nuevo a ellos.

Al fin vieron ante sí, a lo lejos, una mancha de sol. Los árboles eran más altos y la luz les penetraba lo suficiente para disipar los abismos de sombra que antes se abrían por todas partes, alcanzando el límite de la gran llanura que servía de coto de caza a los búhos. Pero el instinto de conservación se agitaba en el cerebro rudimentario de *Niva.* Seguía aturdido por los aletazos del pájaro misterioso, y le dolían los costados a causa de los arañazos recibidos. Así es que, viendo un montón de troncos secos, se escondió entre ellos con tal rapidez, que *Miki* creyó por unos instantes que se lo había tragado la tierra.

El perro entró detrás de *Niva* en el escondite, pero luego se volvió y alargó el cuello. No estaba satisfecho. Su morro continuaba contraído y seguía gruñendo. Había vencido a su enemigo. Lo había revolcado por tierra y se había llenado la boca de plumas. En tales condiciones, se guardaba cierto rencor por haber seguido el derrotero de *Niva,* y bullíale el deseo de volver al lugar del combate y terminar de una vez con sus enemigos. La sangre de sus antepasados, del feroz *Airedale* y del *Spitz,* hervíale en las venas. Experimentaba una rabia infinita, como la que debieron de sentir sus ascendientes, en cuya sangre se mezclaban los instintos feroces del lobo y la astucia paciente de la zorra, unidos a la fuerza gigantesca e irresistible de la raza canina *Mackenzie.* Y a no haber sido porque *Niva* hundióse aún más en su escondite, *Miki* hubiera salido del bosque de nuevo, para desafiar, ladrando con todas sus fuerzas, a aquellos avechuchos despreciables, ante los cuales habían huido cobardemente.

Pero el osezno sentíase dolorido por los arañazos de *Uhumisiu,* y ya tenía bastante experiencia de las batallas aéreas. Ahora se sentó, poniéndose a lamer sus heridas. Al cabo de un instante, *Miki* se acercó a él y olfateó la sangre tibia y fresca. El olor le hizo gruñir. Comprendía que era la sangre del osezno y miraba con ojos relucientes hacia la entrada de la cueva.

Estuvo una hora inmóvil, y durante aquel tiempo, como en el que siguió al asesinato de la liebre, sintióse crecer. Cuando al fin salió prudentemente de su escondite, el sol descendía tras los bosques occidentales. Miró a su alrededor, atento a movimientos y sonidos. Había perdido su aspecto humilde y suplicante de perrillo. Sus patazas enormes se posaban firmemente en el suelo, sus miembros angulosos aparecían duros, como esculpidos en madera nudosa; su cuerpo estaba tenso; sus orejas, erguidas; su cabeza, muy bien plantada entre sus omóplatos, cuya estructura anunciaba para el porvenir una fuerza gigantesca, sentíase en el propio ambiente para que fue creado, el de las grandes aventuras. La vida no era, como antes había creído, una cuestión de juegos y caricias con un amo amable y sonriente; algo palpitante, misterioso y desconocido acababa de invadir su mundo.

Al cabo de un rato, se echó a la entrada de la guarida y se puso a roer el trozo de cuerda que le seguía pendiendo del cuello. El sol se hundía cada vez más y no tardó en desaparecer. *Miki* esperaba que *Niva* saliera y viniese a echarse a su lado, al aire libre. Cuando cayó el crepúsculo, dio unos pasos y encontró a *Niva* casi en la puerta de la caverna de troncos. Juntos hundieron sus miradas en el misterio de la noche.

Poco a poco, en medio de un silencio profundo, fueron brillando en el cielo las estrellas, y luego salió la luna, inundándolo todo con su luz de plata, que se quebraba en sombras fantásticas e inmóviles. Pero aquella calma no duró mucho tiempo. De los agujeros infestados de búhos surgió un ruido extraño y profundo. *Miki* oyó un graznido nuevo para él, el graznido clásico de las grandes aves de presa, semejante a una nota breve de bajo de ópera, lleno de prudencia, como si temieran espantar una presa eventual. Después las voces callaron y el silencio se restableció, cortado a intervalos por el roce devastador de las grandes alas en las cimas de los pinos y de los cedros, cuando las aves de rapiña emprendían el vuelo hacia la llanura.

La salida de aquellos bichos repugnantes no era más que el preludio del carnaval nocturno. *Miki* y *Niva* permanecieron mucho tiempo despiertos, echados el uno junto al otro, escuchando con las orejas muy erguidas y alerta. Una nutria pasó a unos metros, andando lentamente, y ellos percibieron su olor característico. Luego escucharon el grito lejano de un somorgujo, graznidos de aves rapaces, mezclados con el ladrido especial de la zorra, y el mugido de una anta hembra que pasaba por el borde del lago, al otro lado de la llanura.

Por último, escucharon el rumor de la cacería, que les estremeció hasta el fondo del corazón. Al principio parecía venir de muy lejos el aullido de los lobos, lanzados sobre la pista de una próxima víctima. Pero la cacería volvía hacia el Norte, en la llanura, de manera que el viento, que soplaba del Norte y del Oeste, les llevó en seguida los ecos de toda la batida. Desde entonces, los aullidos se oyeron distintamente, y en el cerebro de *Miki* surgieron visiones borrosas y reminiscencias casi ininteligibles. La voz que oía no se parecía a la de Challoner, pero era una voz conocida, la de *Hela*, su gigantesco padre, y la de *Numa*, su madre... Era la de millares de generaciones que le habían precedido. El instinto legado por sus ascendientes le solicitaba, al mismo tiempo que ciertos recuerdos de su juvenil edad.

Más tarde necesitaría a la vez la inteligencia y la experiencia para discernir la mínima diferencia entre perro y lobo. Pero ahora, el clamor de su raza venía hacia él, y parecía llenarle de una famosa ferocidad.

Se olvidó de *Niva*. Ni siquiera se dio cuenta de que el osezno retrocedía, espantado y prudente, al fondo de la cueva. Y se puso en pie, inconsciente del peligro, como si obedeciera a la lejana llamada de sus hermanos, que le invitaban a la lucha, a perseguir a los animales del bosque y la llanura.

Ahtik, el joven reno, huía enloquecido a cien metros delante de los lobos. Jadeante, sintiendo que las fuerzas le abandonaban, atravesaba las tinieblas con sus ojos ardientes, buscando un curso de agua que le ofreciera la posibilidad de salvarse. Ya la horda se había extendido en forma de herradura, y las fieras situadas en los extremos galopaban a su nivel, prestos a acercarse para troncharle las piernas y abatirlo. En aquellos instantes supremos todas las gargantas callaban y el joven animal sentía llegar su próximo fin. Oblicuó desesperadamente a la derecha y se hundió en el bosque.

Al oír los choques de su cuerpo en los arbustos, *Miki* se agachó. Diez segundos después, *Ahtik* pasó a menos de cincuenta pies de distancia. Su forma parecía enorme y grotesca a la luz lívida de la luna; su respiración era jadeante y delataba las angustias de una muerte inminente. Desapareció con la misma velocidad con que había surgido de las tinieblas, y tras él se deslizaron diez sombras silenciosas con la rapidez del viento que llega y pasa.

Miki, erguido de nuevo, escuchó durante cierto tiempo; pero el silencio había vuelto sobre la noche. Entonces entró en la cueva y se echó junto a *Niva*.

Pasó las horas siguientes durmiendo a ratos. Soñó con su amo, con las noches de frío, pasadas junto al gran fuego de Challoner...; pero, sobre todo, lo que dominaba en su espíritu era el grito feroz de sus antepasados los lobos.

Al apuntar la aurora, el perro salió de la caverna y

olfateó el rastro dejado por *Ahtik* y los lobos. Hasta entonces había sido *Niva* quien dirigió siempre sus peregrinaciones aventureras; ahora, el osezno siguió a su compañero *Miki*, cuyo olfato estaba saturado del olor de las fieras, y se dirigió resueltamente hacia la pradera. Tardó media hora en salir del bosque. Al fin franqueó una ancha elevación de terreno pedregoso, pasado el cual su olfato le guió por una profunda y abrupta pendiente hacia la parte más dilatada del valle.

Allí se detuvo.

Abajo, a unos cincuenta pies de ellos, yacía el cuerpo del reno, casi devorado. Pero no fue esto, no fue este espectáculo el que le hizo estremecer hasta el fondo mismo de las entrañas, sino que... junto al cuerpo de *Ahtik* había... algo horrible y a la vez irresistiblemente atractivo para él. *Maigune*, la loba renegada, había venido de la llanura llena de matorrales para devorar los restos de la caza, en la que ella no tomó parte. Era un animal furtivo, de hundido lomo, de dentellada rápida y traicionera, y de una delgadez esquelética a consecuencia de una enfermedad contraída por comer un alimento envenenado. Una bestia cobarde, de la que huían incluso sus mismos semejantes, y que mataba a sus propios hijos. Sin embargo, *Miki* no veía en ella nada de esto, sino la representación en carne y hueso de todo lo que la memoria y el instinto le recordaba de su madre. Luego su madre venía a buscarle antes que su amo...

Durante uno o dos minutos, *Miki* permaneció inmóvil, hasta que al fin se decidió a descender hacia ella. Bajaba confiado, como hubiese acudido junto a su buen dueño. Iba, no obstante, con precauciones, y con una inquietud extraña, producida tal vez por lo inesperado del incidente. Llegó junto a *Maigune* antes de que la loba hubiera advertido su presencia. Aspiró el cálido olor maternal, y esto llenó a *Miki* de alegría. Sentíase turbado, emocionadísimo, pero no a causa de ningún temor físico. Y al fin, echado contra el suelo, con la cabeza entre sus patas, se puso a gemir.

La loba se volvió con la rapidez del rayo, los colmillos desnudos en toda la extensión de sus mandíbulas, los ojos encarnizados, con una expresión de amenaza y de desconfianza. *Miki* no tuvo tiempo de hacer otro movimiento ni de gemir una sola vez más: con la agilidad de un gato, la loba dio un brinco, cayó junto a él, le dio un mordisco y desapareció.

La sangre corría por la espalda de *Miki,* pero no era el dolor lo que lo había verdaderamente paralizado. El olor maternal persistía en el sitio abandonado por *Maigune.* Pero el sueño del perrillo se desvaneció, y el paraíso entrevisto por su mente desapareció de sus ojos y de su cerebro. Entonces *Miki* lanzó un quejido doloroso.

Para él, como para *Niva,* no había madre, como no había amo tampoco. Es verdad que les quedaba... el mundo, aquel mundo sobre el cual íbase levantando el sol en aquellos instantes, y de cuyo suelo emanaban, vibrantes, los mil aromas de la Vida. Y cerca de él había también un sabroso, un apetitoso tufillo de carne fresca.

Miki la olfateó complacidamente. Luego, volviendo la cabeza, vio a *Niva,* semejante a una bola negra, que se acercaba también para tomar parte en el festín...

CAPÍTULO IX

ALUD DE CUERVOS

Si Makoki, el viejo indio de faz curtida, de la tribu de los *cree,* que *hacía* el correo entre el lago de Dios y el fuerte Churchill, hubiese conocido la historia de nuestros dos héroes hasta el instante en que vinieron a devorar el cuerpo del reno, habría dicho con toda razón que *Isku-Wapu,* el dios de las bestias, velaba por *Miki* y por *Niva* de un modo particular. Porque Makoki creía en las divinidades del bosque como en las de su propia choza. Sin duda hubiese hecho a los hijos de sus nietos una versión personal y pintoresca de aquella aventura... y éstos a su vez la hubieran transmitido a la posteridad.

Porque no está en el orden de las cosas naturales —habría dicho el indio— que un osezno negro y un perro de raza *Mackenzie,* mezclado de *Spitz* y de *Airedale,* se hicieran amigos. A no dudarlo, se trataba de un favor especial de la Potencia bienhechora que vela por las bestias. Y era esta Potencia la que hizo a Challoner atar a los animalitos por el cuello, para que, al salvarse juntos, encontraran cada uno un amigo en el otro. Makoki les hubiera llamado *Neva-pawuk* o los dos hermanitos. Y antes se habría dejado cortar un dedo que hacerles mal alguno.

Pero el viejo indio no sabía una palabra de la historia conmovedora de *Miki* y de *Niva*. Y aquella mañana precisamente se encontraba a cien millas de distancia, en tratos con un blanco que buscaba un guía. El indio habría de ignorar siempre que *Isku-Wapu* estaba precisamente también a su lado, invisible y protector, preparando los acontecimientos que tanto habrían de influir más adelante en la vida de nuestros héroes.

Mientras tanto, los dos amigos inseparables se desayunaban glotonamente, devorando los restos del reno. Eminentemente prácticos, en vez de pensar en el pasado, se ocupaban del presente. Aquellos días de excitantes aventuras les habían dado la experiencia de un año de vida. *Niva* iba olvidando poco a poco a su madre, y *Miki* comenzaba a olvidar también a Challoner.

Lo que recordaban los dos con toda claridad era la noche pasada, su lucha por la vida contra los búhos monstruosos, su huida, la persecución y la caza del reno por los lobos, y para *Miki* en particular, su breve y amarga experiencia con la loba renegada. La espalda le dolía en el sitio en que le había mordido. Pero no por esto había perdido el apetito. Lanzaba pequeños gruñidos de satisfacción mientras comía, y se atiborró hasta que ya no pudo tragar ni un bocado más.

Entonces se sentó, mirando hacia el punto por donde había desaparecido *Maigune*, esto es, hacia el Este, en dirección a la bahía de Hudson. Una inmensa llanura se extendía entre dos montañas parecidas a los altos muros de un coto. El sol lo doraba todo con sus esplendorosos rayos. *Miki* no había visto jamás el mundo tal como aparecía en estos momentos ante sus ojos. Los lobos habían dado muerte al reno en una especie de meseta que dominaba el valle, moteado de manchas de verdura. El perro extendía su mirada hasta perderla en el infinito. Y contemplaba una especie de paraíso lleno de promesas; inmensas praderas verdes, henchidas de pastos nuevos, bosquecillos semejantes a los jardines de parques cuidados y espléndidos, llanuras donde brillaban los botones de oro de las flores silvestres, riachuelos de media milla, un gran lago, cuyas aguas tranquilas reflejaban el azul radiante del cielo como un espejo caído en la llanura, entre altas filas de cedros y álamos...

Allí era, pues, donde se había dirigido la loba. *Miki* se preguntó si volvería, y olfateó el aire varias veces. Pero el deseo de volverla a ver no persistía en su corazón. Un instinto nuevo comenzaba a advertirle la gran diferencia entre el perro y el lobo. Durante un instante creyó que la Naturaleza le había reservado una madre. Pero ahora comprendía: los colmillos enormes de la loba habían estado a punto de romperle un omóplato y cortarle la yugular.

Tebah-Gome-Gawin, esto es, la grande y única ley, la implacable norma de la supervivencia del más apto, se imponía a él. Vivir era pelear, era matar: era vencer a todo lo que se agitaba sobre la tierra con patas o con alas. La tierra y el aire estaban llenos de amenazas para su vida. Desde la desaparición de Challoner, no había encontrado amistad en parte alguna excepto en *Niva,* el osezno sin madre. Y *Miki* se volvió hacia él al mismo tiempo que gruñía de modo amenazador a un pajarraco que revoloteaba al acecho de un trozo de carne.

Niva, que hacía unos minutos no pesaba más que unas doce libras, pesaba ahora catorce o quince. Su vientre aparecía hinchado como un bombo, y sentado a pleno sol, lavándose el rostro y el morro con las manecitas, sentíase profundamente satisfecho del mundo y de sí mismo. *Miki* se frotó contra él y *Niva,* lanzando un leve gruñido de amistad, se echó de espaldas, invitando a jugar a su compañero.

Era la primera vez que esto ocurría, y *Miki,* lanzando ladridos, cayó encima del osezno. Durante un rato jugaron con gran algazara, cambiando arañazos tenues, patadas y mordiscos. Y de este modo llegaron hasta el borde de la pequeña meseta en que se encontraban.

Desde allí hasta abajo había unos cien pies. Era una pendiente un tanto abrupta aunque cubierta de césped fino y tierno... Los dos amigos, como disparados por una catapulta, rodaron involuntariamente hasta la llanura.

Niva, gordo y lleno de grasa como estaba, rodó perfectamente, como una bola; pero el pobre perro, todo patas y costillas y huesos salientes, comenzó a voltear de un modo lamentable, recibiendo golpes secos... de tal modo que, cuando llegó a los pedruscos situados al final de la pendiente, quedó aturdido... viendo que la tierra daba vueltas a su alrededor. Al fin, recobrando sus sentidos, se puso en pie. Entonces miró a *Niva,* que había ido a parar a tres o cuatro metros de distancia.

Pero el osezno había encontrado una diversión gratísima. Ninguna criatura gusta tanto de dejarse rodar por una pendiente como un osezno negro, excepto un chiquillo sobre un trineo o un castor sobre su cola... Así es que *Niva* volvió a subir a lo alto del talud, *¡y se echó a rodar de nuevo hasta abajo! Miki* quedóse con la boca abierta por la sorpresa. *Niva* repitió la maniobra y su amigo casi perdió la respiración. Cinco o seis veces contempló el perro a su amigo subir al talud y dejarse caer otras tantas sobre la hierba. Por último, fue a dar contra *Miki* con tal violencia que faltó poco para que el perro, terriblemente dolorido por la caída, tomara la cosa en serio.

Miki quiso entonces explorar la base de la colina. *Niva* le siguió de buen grado unos cien metros, pero luego se detuvo negándose a continuar adelante. Tenía cuatro meses, y el osezno estaba ahora plenamente convencido de que la Naturaleza le había creado para que comiera sin cesar. Comer era para él el solo objeto de la vida. Había, pues, de comer, si quería mantener las tradiciones familiares, y sentíase inquieto y casi ofendido al ver que *Miki* parecía disponerse a abandonar para siempre el rico y sabroso cuerpo del reno. Así es que, olvidando el juego, se puso a subir de nuevo la ladera, con una idea que contenía muy bien un ciento por ciento de espíritu práctico.

Miki, desistiendo entonces de sus exploraciones, siguió a su amigo. Subieron, en efecto, a la meseta, desembocando a unos veinte pasos del cuerpo del reno, deteniéndose detrás de un montón de piedras para examinar su provisión de carne, y entonces quedaron inmovilizados por la sorpresa: dos búhos gigantescos estaban devorando los restos del reno.

Miki y *Niva* los identificaron con los monstruos que les habían atacado en la selva la noche anterior; pero en realidad éstos no pertenecían a la especie de *Uhumisiu* ni a los piratas nictálopes; eran búhos de nieve, animales feroces que veían perfectamente con la luz del día. *Mispul* el macho, era de una blancura inmaculada; la hembra, algo más pequeña, aparecía con leves franjas color ceniza. Y sus cabezas redondas y la ausencia total de crestas y de orejas les daban un aspecto terrorífico.

El macho devoraba la carne con tanta ansiedad, que *Miki* y *Niva* oían perfectamente los tableteos de su potente pico. La hembra, *Niuish,* tenía la cabeza casi hundida en las entrañas del reno. Su aspecto y el ruido horrendo que hacían al comer hubiera bastado para poner de punta los pelos de un oso adulto... Así es que el pobre *Niva* se escondió prudentemente detrás de una gran piedra, no asomando más que la cabeza.

Miki sintió despertarse en él la sangre combativa de su padre, y un gruñido se formaba en su garganta. Aquella comida era suya y debía defenderla. Además, ¿no había vencido él al enorme búho en el bosque?... Aunque aquí se trataba de una pareja. Esta reflexión le hizo permanecer quieto durante unos minutos... y en este leve intervalo de tiempo ocurrió algo imprevisto.

Maigune, la loba renegada, acababa de salir de entre la maleza, al otro lado de la llanura. Agachada, con los ojos encarnizados y un aspecto terrorífico de bestia que se dispone a acometer, llegó junto al cadáver del reno, y antes de que *Mispul* hubiera advertido su presencia, se lanzó sobre él con un rugido feroz que hizo al pobre *Miki* aplastarse materialmente contra el suelo.

Los colmillos de la loba se hundieron en las cuatro pulgadas de pluma del pajarraco, que, cogido de sorpresa, hubiera sucumbido sin la intervención heroica de *Niuish,* la cual, sacando su cuello ensangrentado de las entrañas del reno, atacó a *Maigune,* dando al mismo tiempo un grito leve y gutural que no se parecía al de ninguna otra criatura viviente. Plantó su pico y sus garras en plena espalda de la loba, que, abandonando a *Mispul,* dirigió una feroz dentellada a su nuevo asaltante. *Mispul* había sido salvado por el momento, aunque a costa de un terrible sacrificio por parte de su hembra, heroica y abnegada; la loba, de una sola dentellada bien dirigida, habíale arrancado una de las alas. En el grito desgarrador que lanzó la pobre hembra herida, su macho percibió sin duda una nota de agonía, porque, remontando el vuelo un par de metros con rapidez increíble, se equilibró un segundo en el aire y desplomóse sobre el lomo de la loba con tal fuerza que la hizo rodar por el suelo.

El enorme búho le hundió entonces sus terribles garras, semejantes a garfios de fuego, en plenos riñones, agarrándose a aquella parte vital de su enemigo con una tenacidad vindicativa y feroz. En aquel abrazo, *Maigune* sintió a su vez en sus entrañas el aguijón de la Muerte. Y se puso a dar vueltas en todos sentidos, revolcándose, aullando, rugiendo, tirando terribles dentelladas y manotazos al aire, para desembarazarse de aquellas agudísimas agujas de fuego que se le hundían cada vez más en las entrañas.

Pero *Mispul* no soltaba su presa; rodando con su enemiga, la golpeaba con sus alas gigantescas, estrechando cada vez más sus garras enormes en un abrazo que la misma Muerte no hubiese podido romper. Su hembra agonizaba sobre la hierba. La sangre brotaba a borbotones por la herida, y sintiendo su vista oscurecida por el beso próximo de la Muerte, aún intentaba acudir en auxilio de su compañero. En cuanto a éste, heroico hasta el final, ni la misma Muerte le hizo soltar a la loba.

Maigune se restregó entre unas matas, y sólo así consiguió desembarazarse del cadáver de *Mispul*. Luego se puso en pie y huyó hacia la espesura. Pero llevaba hondas heridas en los riñones y corríale la sangre por el vientre, dejando tras de sí un rastro rojo. Así recorrió un cuarto de milla, hasta que se echó bajo unos abetos jóvenes, donde no tardó en morir.

Niva y *Miki,* éste sobre todo, que habían presenciado la tragedia, sentíanse conmovidos y a la vez como contentos de haber podido aumentar su caudal de experiencia a la vista de la batalla. Los instintos hereditarios se despertaban en ellos cada vez más al choque de esta realidad que iba apareciendo a sus ojos de un modo tan descarnado. Ya los dos habían matado pequeñas criaturas, *Niva* sus insectos, sus ranas; *Miki* su liebre; habíanse batido con ciertos enemigos para defender su vida, habían pasado por pruebas que, desde el principio, constituían un empeñado juego de azar contra la Muerte; pero les faltaba la apoteosis de aquel combate feroz que acababan de presenciar, para que nuevas perspectivas de la Vida se abrieran ante sus ojos.

Miki dejó pasar algunos minutos antes de decidirse a ir junto al cadáver de *Niuish* y olfatearlo. Pero ya no experimentó el deseo de arrancarle las plumas en un pueril acceso de ferocidad o de triunfo. Nuevas habilidades y nuevas malicias acababan de surgir en su cerebro rudimentario. La suerte desgraciada de *Mispul* y de su hembra habíale hecho comprender el inapreciable valor del silencio y de la prudencia. Ahora sabía ya que existían en el mundo muchos seres a los cuales él no inspiraba terror alguno, y que no huirían ante él. Ya no sentía, como antes, un desprecio fanfarrón y altivo por las aves. Comprendía, en fin, que la tierra no había sido hecha para él solo, y que para defender su humilde puesto en la existencia habría de luchar como la loba y los cuervos y los búhos. Y todo esto obedecía a que en las venas de *Miki* corría la sangre de miles de generaciones combativas que habían sido lobos en épocas remotas.

En *Niva,* por el contrario, el proceso deductivo seguía una marcha muy distinta. Su raza no era agresiva, a no ser contra sus mismos semejantes. No tenía por costumbre hacer su presa de otras bestias, ni ninguna de éstas, a su vez, le consideraba a él como una presa. Esto obedecía sencillamente a que ninguna criatura de las que habitaban aquellos vastos dominios podía vencer en lucha franca a un oso negro adulto, ni aisladamente ni atacándole en manada. Así es que la tragedia no había enseñado nada nuevo a *Niva* sobre el arte de batirse. A lo sumo despertó en él un redoblamiento de prudencia. Y lo que le interesaba más en el resultado del combate, era que los pajarracos y la loba no hubiesen devorado el cuerpo del reno. Su cena quedaba así intacta.

El osezno permaneció, pues, escondido, con sus ojillos

redondos bien abiertos, como si temiera nuevas sorpresas, mirando a *Miki* desde lejos, que exploraba el lugar del combate. El perro iba del cadáver de la hembra del búho al de *Ahtik*, y luego olfateó el rastro de la loba. Encontró a *Mispul* en el límite del bosque. Después, no queriendo aventurarse más lejos, volvió lentamente hacia *Niva*, que se había decidido, por fin, a arriesgarse en terreno descubierto.

Miki tuvo que luchar obstinadamente durante toda la jornada para defender el cadáver del reno. Las aves de presa venían de vez en cuando y se abatían sobre *Ahtik*, lanzando graznidos roncos de voracidad y de cólera. Un armiño del Canadá, con sus ojos rojos como granates, atacó por dos veces la carroña del cadáver, pero *Miki* le puso en fuga asimismo. Hacia el mediodía, los cuervos de las cercanías habían olido o percibido el despojo, y describían grandes círculos alrededor de *Ahtik*. Luego, posados en los árboles vecinos, lanzaban graznidos de protesta, como si quisieran inducir a *Miki* y a *Niva* a que se marcharan de aquellos parajes para atacar ellos al reno muerto.

Aquella noche, los lobos no volvieron a la pendiente. La caza era demasiado abundante, y los que estaban encima de la garganta hacían una nueva presa a lo lejos; al Oeste. *Niva* y *Miki* oyeron varias veces sus aullidos a gran distancia.

La noche la pasaron los dos amigos velando y escuchando, con sólo pequeños intervalos de sueño. Y cuando las primeras luces de la aurora iluminaron el cielo, ambos volvieron a su festín.

Makoki, el viejo indio de la tribu de los *cree*, hubiera creído descubrir en aquello la prueba más convincente de la presencia tutelar. Pasaban los días y las noches y la sangre y la carne de *Ahtik* desarrollaban maravillosamente la fuerza de *Niva* y de *Miki*. Al cabo de cuatro días, el osezno parecía cebado como un cerdo; desde que les ocurrió la terrible aventura de la caída en el río, había crecido la mitad más. *Miki*, por su parte, comenzaba a llenarse también. Ya no se le podían contar las costillas desde lejos. Su pecho se ensanchaba, sus patas iban perdiendo algo de su torpeza angulosa, sus mandíbulas reforzábanse en el ejercicio con los huesos del reno. Iba surgiendo en él el perro de caza. A la cuarta noche, el rugido de la horda llegando hasta él le excitó de un modo salvaje.

Para *Niva*, gordura era sinónimo de buen humor y satisfacción. Mientras quedara carne, no pensaba moverse de aquellos parajes deliciosos. Dos o tres veces al día bajaba a beber al arroyo; luego, a la caída de la tarde, y alguna mañana también, entregábase a su deporte favorito del tobogán, dejándose caer rodando por la pendiente cubierta de fina hierba. Además, iba tomando la costumbre de hacer su siesta en la horcadura de un árbol joven.

Mientras tanto, *Miki*, al que no gustaba el deporte del tobogán, ni podía tampoco subir a los árboles con su compañero de fatigas, iba haciendo excursiones que le alejaban más y más cada vez. Hubiera querido que *Niva* le acompañara en ellas y no se marchaba jamás sin haber rogado al osezno, por medio de leves ladridos, que descendiese del árbol, o sin procurar apartarle de la única senda trazada por sus viajes al arroyo...

Sin embargo, la obstinación del osezno no molestaba a *Miki* hasta el punto de provocar entre ellos un desacuerdo o un disgusto. Y si las cosas hubieran llegado a un extremo decisivo y *Niva* hubiese podido imaginar que *Miki* iba a marcharse para no volver, le hubiese seguido de buen grado.

Fue otra causa, más fuerte que una vulgar querella, lo que levantó entre ellos la primera barrera seria y peligrosa. *Miki* pertenecía a una raza que gusta de la carne fresca, mientras que *Niva* prefería la podrida. Y, a partir del cuarto día, lo que restaba del cadáver de *Ahtik* se comenzó a descomponer rápidamente. El quinto día, *Miki* casi no pudo tragar su almuerzo, y el sexto le fue imposible comer ni un solo bocado.

Niva, por el contrario, la iba encontrando cada vez más deliciosa. El sexto día, en su entusiasmo, se revolcaba sobre ella. Aquella noche, por vez primera, *Miki* evitó el dormir a su lado.

El séptimo día trajo consigo una crisis. *Ahtik* apestaba la atmósfera. Su olor horrible, propagado por la dulce brisa de junio, había atraído a todos los cuervos del país. Y la pestilencia hizo a *Miki* huir hasta los bordes del arroyo. Cuando *Niva* bajó a beber después del desayuno, el perro le olfateó un instante, y luego puso mayor distancia entre ellos. En realidad, no había más diferencia entre *Ahtik* y *Niva* sino que el uno estaba inmóvil y el otro se movía. Los dos apestaban a carroña, los dos *estaban* bien podridos. Los mismos cuervos describían grandes círculos alrededor de *Niva,* preguntándose cómo podía andar, semejante a una criatura viviente. Aquella noche *Miki* durmió solo, bajo un macizo de breñas, en el cauce del riachuelo. Estaba hambriento y solitario, y por primera vez después de muchos días sintió la inmensidad y el vacío del mundo. Le faltaba *Niva.* Sus gemidos llamándole turbaron muchas veces las largas horas del silencio estrellado.

El sol estaba ya alto cuando *Niva* descendió de la colina. Ya se había desayunado, y habíase dejado caer varias veces por la pendiente del césped..., y despedía un olor nauseabundo. También esta vez *Miki* se esforzó en llevárselo de aquellos parajes, pero el osezno tampoco le quiso hacer caso: parecía querer vivir así toda la vida, en la gloria insuperable de su situación actual.

Aquella mañana tenía prisa por tomar su baño. Todo el día anterior habíalo pasado espantando a los cuervos, que intentaban robarle los restos de *Ahtik.* Así es que, luego de haber bebido, y permanecer un rato dentro del agua, lanzó un gruñido a *Miki,* como invitándole a que le siguiera, y apresuróse a subir de nuevo la pendiente.

Pero al llegar arriba, tras las rocas desde donde habían presenciado él y su compañero la batalla entre la loba y los dos pajarracos, quedóse absorto *Niva;* el despojo del reno estaba literalmente negro de cuervos. *Kakakiu* y su horda, semejantes a guerreros de Etiopía, habían descendido como una nube; y con grandes picotazos y batir de alas iban desgarrando la carne del reno como una bandada de furias. Otra nube negra planeaba en el aire; todas las malezas y arbustos vecinos hundíanse bajo su peso, y su plumaje de azabache brillaba al sol cual si saliesen de un baño de esmalte.

Niva estaba confundido. Pero no sentía miedo. Muchas veces había hecho huir a aquellas aves cobardes, pero jamás había visto tantas. Le ocultaban completamente su carroña y la misma tierra de los alrededores aparecía negra.

Se lanzó fuera de las rocas descubriendo sus colmillos, como había hecho lo menos una docena de veces. Hubo un ensordecedor rumor de alas. El aire se oscureció, y el graznido de cólera que se elevó de todas partes pudo oírse muy bien a una milla de distancia. Pero esta vez, *Kakakiu* y su poderoso equipo no huyeron. Su número les inspiraba audacia. Habían gustado la carne de *Ahtik*, y el aroma que percibían les embriagaba y enloquecía de deseo.

Niva estaba perplejo: por encima, por detrás, por todas partes le rodeaban, insultándolo con sus graznidos feroces, al tiempo que los más audaces caían sobre él para golpearle con sus alas. La nube amenazadora se espesó, y, de pronto, abatióse como un alud sobre él y la carroña.

Niva comenzó a defenderse como había hecho cuando el combate con los búhos. Las tenazas de veinte picos negros le pincharon los pelos y la piel; otros le picaban los ojos; creyó por un instante que le arrancaban las orejas, y su morro se cubrió de sangre en algunos segundos. Cegado, aturdido, cubierto de picotazos, el pobre animal se olvidó de *Ahtik* y no tuvo más deseo que alcanzar un terreno descubierto donde poder correr a su gusto.

Concentrando toda su fuerza en un supremo ímpetu, se puso en pie, y echó a correr a través de la masa viviente que le envolvía. A esta señal de derrota, numerosos asaltantes lo dejaron para unirse al festín. Cuando llegó a la mitad del camino del bosque en que se había refugiado *Maigune*, todos le habían abandonado, excepto uno solo, que quizá era *Kakakiu* en persona. Se había agarrado como un cepo a la cola peluda de *Niva*, donde permanecía suspendido con una mortal determinación, a pesar de las sacudidas de la carrera. Permaneció agarrado hasta que su víctima llegó muy lejos bajo el bosque. Entonces se elevó pesadamente, reuniéndose con sus congéneres.

Niva no había echado jamás tanto de menos a *Miki* como en esta ocasión suprema de su vida. Una vez más su concepto del mundo había cambiado completamente.

Había sido picado en cien sitios distintos. El cuerpo le echaba fuego y le dolía por todas partes. Las plantas de los pies le dolían también, haciendo penosa su marcha. Se escondió entre unos matorrales durante media hora, lamiendo sus heridas y olfateando el aire a ver si percibía el olor de *Miki*.

Después descendió la pendiente, hacia el lecho del arroyo, y recorrió en toda su extensión la pista trazada por sus idas y venidas. Pero todo fue en vano. El adorado camarada no aparecía por parte alguna. *Niva* gruñó, luego gimió, y de vez en cuando volvía a olfatear su rastro en el aire. Remontó el arroyo hasta cierta distancia y lo redescendió corriendo. ¡Todo inútil! El cadáver de *Ahtik* nada significaba ya para él.

¡Ahora lo triste era que *Miki* había desaparecido!...

CAPÍTULO X

MIKI SE AVENTURA SOLO

A un cuarto de milla de allí, *Miki* había oído el clamor de los cuervos. Pero no estaba dispuesto a volver sobre sus pasos, ni aun sabiendo que *Niva* le necesitaba. Hambriento por un ayuno prolongado, siguió su camino, decidido a atacar a cualquier animal comestible que le saliera al paso, fuera cual fuese su talla y volumen. No obstante, tuvo que recorrer una buena milla antes de encontrar un simple cangrejo de río, que cogió y masticó furiosamente entre sus dientes, tragándolo luego, con caparazón y todo. Esto, al menos, le quitó el mal sabor de boca.

Aquel día le reservaba otro acontecimiento memorable. Ahora que se encontraba solo, el recuerdo de su amo se le hacía más concreto y preciso. Sus representaciones mentales se afirmaban a medida que transcurría la tarde, haciéndole olvidar paulatinamente, al mismo tiempo, al compañero *Niva*. Sin embargo, varias veces se detuvo y estuvo tentado de volver junto al querido camarada; pero el hambre le empujaba cada vez más lejos.

Aún encontró otros dos cangrejos. Luego, bordeando el arroyo, persiguió a dos enormes liebres, que se le escaparon fácilmente... A cada momento surgían de entre los matorrales perdices, pájaros acuáticos o animalillos que *Miki* hubiera comido con delicia... Pero todos huían ante él sin dejarse atrapar. Al fin pudo apresar una liebre que se había metido en un tocón hueco sin otra salida... y pasó mucho tiempo saboreando la primera comida *seria* desde hacía tres días.

Y estaba tan absorto en su banquete, que no se dio cuenta de que había aparecido en escena un nuevo personaje. Era *Uchak*, la nutria, que había llegado silenciosamente, sin que *Miki* la oyera ni olfateara. *Uchak* no era partidaria de molestar a nadie.

Sus instintos la hacían un cazador admirable, pero pacífico hasta cierto punto. Y cuando vio a *Miki* (al que tomó por un lobo joven) devorando la liebre, no hizo el más pequeño movimiento para pedir su parte en el festín. Pero no se marchó tampoco, y pronto hubiera seguido su camino si *Miki*, advertido de su presencia por el olfato, no la hubiera visto, haciéndole frente.

Uchak estaba a seis pies de distancia del perro. Para los que, como *Miki*, ignoran su historia, *Uchak* no tenía nada de feroz ni de alarmante. Tan larga como el perro, no tenía, sin embargo, más que la mitad de su altura, de modo que sus cortas patas le daban el aspecto de un perrillo enano. Pesaría probablemente de ocho a diez libras. Tenía la cabeza redonda y carecía casi en absoluto de orejas. En cambio poseía larguísimos bigotes, que le daban un aspecto extravagante. Su cola estaba cubierta de pelo espesísimo y sus ojos eran tan vivos y de expresión tan agresiva, que parecían atravesar cuanto miraban.

Su inesperada presencia hizo a *Miki* el efecto de una amenaza y de un desafío. Además, *Uchak* le parecía fácil de vencer en caso de batalla. Así es que el perro, enseñando los colmillos, se puso a gruñir de un modo amenazador.

Uchak creyó que este gruñido era una invitación a seguir su camino, y como era un animal muy bien educado, que jamás se metía en los cotos de caza de los demás, comenzó a caminar a paso ligero.

Miki, tomando esta retirada prudente por una huida

cobarde y vergonzosa, lanzó un ladrido de triunfo y cayó sobre el enemigo. Pero esto fue un error de cálculo, de los que tantos y tantos cometen también los humanos. Porque *Uchak*, aunque no agredía más que en casos raros, podía ser considerado como uno de los combatientes más temibles y expertos de la América del Norte.

Miki no comprendió nunca lo ocurrido en el minuto que siguió a su ataque. No fue una derrota, propiamente dicho: fue una inmolación unilateral, un verdadero aplastamiento. Su primera impresión fue la de que él había asaltado a una docena de *Uchaks* y no uno solo. Pero en seguida su cerebro dejó de funcionar y sus ojos de ver. Recibió una paliza como no la había recibido en su vida. Se sintió arañado, golpeado, mordido; luego, unas garras feroces estuvieron a punto de estrangularle, al tiempo que sentíase apuñalado en todo el cuerpo..., hasta tal punto, que unos instantes después de la marcha de *Uchak* continuaba agitando sus patas en el aire. Y al abrir los ojos, se escondió prudentemente entre la maleza.

Permaneció media hora escondido allí, procurando comprender lo que le había pasado. El sol declinaba cuando decidióse al fin a salir de su agujero. Cojeaba lamentablemente. Un bocado terrible de la nutria habíale atravesado de parte a parte la única oreja sana de que disponía. Su piel veíase desprovista de pelos en muchos sitios, y tenía hinchado un ojo.

Miró con tristeza hacia la ruta que había traído. ¡Quién sabe si no sería lo mejor desandar lo andado, e ir a encontrar a su camarada!... Los huesos le dolían. A medida que avanzaba la tarde, el sentimiento de una gran soledad crecía en él con el deseo de volver hacia *Niva*, pero *Uchak* habíase marchado en aquella dirección, y *Miki* no quería encontrárselo de nuevo.

Erró hacia el Sudoeste un cuarto de milla, antes de que el sol se ocultara. Y al caer el crepúsculo, encontró el camino de transporte del Mib-Rock, entre los ríos Beaver y Loon.

No era un camino propiamente dicho. Los viajeros que bajaban del Norte, raramente se servían de él para pasar de un río a otro. Tres o cuatro veces al año, cuanto más, un lobo habría podido encontrar en aquel paraje el olor del hombre. Pero aquella noche flotaba en la atmósfera tan fuertemente que *Miki* se detuvo en seco, como si otro *Uchak* se hubiera erguido ante él. Durante unos instantes quedó petrificado por una emoción irresistible. Todo lo olvidó ante aquel descubrimiento de un camino humano, y, *por consecuencia, del camino de Challoner, su dueño.*

Entonces se puso a seguir aquel camino con ardoroso afán, indiferente a los ruidos de la selva y de la noche, que acababa de caer, guiándose por el instinto doméstico del perro y su deseo de un amo.

Ya había llegado casi a la orilla del Loon cuando vio el fuego del campamento de Makoki y del Blanco.

Pero *Miki* no corrió ni ladró. La ruda escuela del desierto habíale enseñado a ser prudente. Se acercó con cautela, agachado, hasta cerca del radio de la luz que proyectaba la hoguera de los dos hombres. Entonces vio que ninguno de ellos era Challoner. Pero ambos fumaban, como su antiguo amo, y *Miki* escuchaba sus voces, parecidas a las de su dueño. El campamento era igual al de Challoner en todo: un fuego, una marmita suspendida encima, una tienda, y en el aire, un fuerte y sabroso perfume de cocina.

Ya se disponía a presentarse sin más ceremonias en el círculo de luz de la hoguera, cuando el hombre blanco se levantó, se estiró como solía hacer Challoner y cogió un leño del grueso de su brazo para arrojarlo al fuego. Anduvo unos pasos en dirección a *Miki,* y de pronto, como el perro iniciara un leve movimiento hacia él, el hombre blanco le descubrió.

Con la rapidez del rayo, el hombre lanzó el leño con todas las fuerzas de su brazo gigante. Por fortuna, el golpe sólo cogió al perro de refilón, entre el cuello y la espalda, pero con tal violencia, que el hombre blanco creyó haber matado a su enemigo. Dijo a gritos a Makoki que acababa de matar un lobezno o una zorra, y se lanzó a la oscuridad.

El choque había arrojado a *Miki* en medio de un montón de ramas secas, procedentes de un abeto desgajado por alguna tempestad. Instintivamente, permaneció allí en silencio, sin moverse, con un terrible dolor en la espalda. Entre el fuego y él, pudo distinguir al hombre blanco, que se agachaba para recoger el leño, y a Makoki, que llegaba también armado de un garrote. *Miki* se encogió cuanto pudo. Tenía un miedo loco, porque ahora comprendía la verdad. Aquellos hombres no eran *Challoner*. Le cazaban como a una fiera de los bosques. Y el pobre animal aprendió el uso que los humanos hacían de los garrotes.

Estuvo escondido mientras los hombres seguían buscando a su alrededor. El indio llegó a hundir varias veces su palo en el montón de leña seca. El hombre blanco, mientras tanto, repetía en voz alta que estaba seguro de haberlo herido, y una de las veces llegó a pasar tan cerca de *Miki* que casi le pisó el morro con su zapatón de campo. Luego echaron más leña al fuego, para alumbrar los contornos, pero al fin, cansados, volvieron a sentarse junto a la lumbre.

Durante una hora, *Miki* no se movió de su escondite. El fuego había comenzado a apagarse. Al fin, el hombre blanco penetró en la tienda, y el viejo indio *cree* se lió en una manta para dormir.

Sólo entonces decidióse *Miki* a salir de su escondite.

Cojeando, con toda la rapidez que le permitía su espalda dolorida, se apresuró a recorrer la pista seguida con tanta esperanza momentos antes. El olor humano ya no le llenaba de alegría el corazón. Ahora era una amenaza, un peligro, una cosa de la que tenía que huir y alejarse en lo sucesivo. Hubiera preferido encontrar de nuevo a *Uchak* o a los búhos. Con las aves, *Miki* podía combatir; en cambio, los hombres armados de garrotes tenían sobre él una superioridad indiscutible.

Pasó el resto de la noche acostado en el mismo sitio donde había matado la liebre por la tarde, lamiéndose las heridas. Al amanecer salió y comióse el resto de la liebre.

Luego dirigióse resueltamente hacia el Noroeste, hacia el sitio donde estaba *Niva*. Ya no dudaba. Era preciso volver a encontrar al osezno. Quería volver a rozarse con él y lamerle el morro, aunque apestara el Universo con su hediondez de carne podrida. Quería oírle gruñir y lanzar su divertido gritito de buena camaradería: en una palabra, quería volver a cazar con él, a jugar con él, y a dormir con él al sol, echados los dos sobre la hierba o contra las piedras calientes, como dos hermanitos. *Niva,* al menos, formaba parte de su propio mundo.

Se puso en camino.

Por su parte, *Niva,* remontando el curso del arroyo, buscaba ansiosamente al amado *Miki.*

Al fin se encontraron, a medio camino, en una pradera llena de sol. Ni uno ni otro hicieron el más pequeño signo de contento. Los dos se detuvieron, mirándose un instante, como para cerciorarse verdaderamente de que no se equivocaban. *Niva* lanzó un débil gruñido, y el perro movió la cola. Luego se acercaron y se olieron el morro. El osezno lanzó un débil grito y *Miki* ladró con alegría, como si se dijeran mutuamente:

—¡Hola, *Miki!...*

—¡Buenos días, *Niva!...*

Entonces *Niva* se acostó al sol y *Miki* tendióse a su lado. Al fin y al cabo, los dos estaban contentos y sentíanse felices de hallarse juntos, pensando que pertenecían a un mundo original y extraño. A veces este mundo parecía ir a disgregarse y desaparecer, pero todo acababa bien sobre la tierra y en sus pequeñas y humildes vidas. Hoy, el Universo, como saneado, como rejuvenecido, aparecía radiante ante los ojos de los dos amigos.

Y una vez más sentíanse acompañados y felices.

CAPÍTULO XI

LOS COMEDORES DE MORAS

La Luna Volante, el medio estío profundo y soñoliento, reinaba en toda la tierra de *Kiwaline.* Desde la bahía de Hudson al Atabasca, y desde las Altas Tierras hasta los bordes de las Grandes Soledades, los bosques, las llanuras y los pantanos permanecían en la paz y el olvido absolutos durante los largos días de sol y las noches estrelladas. Aquel *Mukou-Sawine* de agosto era la luna de la generación, la luna del crecimiento, cuando la vida salvaje recobra toda su plenitud. Los caminos de aquella región desértica que abarca mil millas de Este a Oeste y otro tanto de Norte a Sur, estaban ahora más vacíos de seres humanos que nunca. Los miles de cazadores y tramperos, con sus mujeres y sus hijos, se habían reunido en los puestos de la Compañía de la Bahía, esparcidos sobre aquel inmenso dominio de las fieras, para dormir, charlar y distraerse durante aquellas cortas semanas de calor y de abundancia, antes de recomenzar las luchas y tragedias de otro invierno.

Para aquella gente forastera, la *Mukou-Sawine* constituía la gran distracción del año; en aquellos puestos, donde se reunían como en una gran feria, contraían nuevas deudas o establecían nuevos créditos, se entregaban a los juegos de amor o de azar, se casaban o se nutrían en previsión de interminables días de privaciones y aburrimiento.

De este modo, los animales salvajes y las inmensas llanuras estaban completamente desprovistas de todo olor humano. Ya no les perseguían, ni sus pasos eran acechados por trampas y cepos traidores. En los lagos y los pantanos, las aves acuáticas sacaban sus polladas al sol sin temer las asechanzas del hombre; las fieras paseaban tranquilas por entre las rocas y los matorrales, y la ardilla, la nutria y el castor podían subir y bajar a los árboles con la alegría que da la seguridad de la existencia libre de peligros y amenazas.

Una nueva generación de bestezuelas acababa de nacer. Era la estación de la juventud. Y millares y millares de animalejos jóvenes jugaban al sol en los días luminosos, y a la luz de la luna en las noches serenas y claras, aprendiendo sus primeras lecciones y creciendo rápidamente para afrontar los amenazadores azares de su primer invierno.

El Espíritu Bienhechor de los bosques había velado por ellos anticipadamente, y por todas partes observábase una abundancia paradisíaca. Las matas, los arbustos y los árboles aparecían cargados de frutos. A lo largo de los arroyos y de los ríos, las zarzas veíanse cargadas de moras, y mil plantas extrañas ofrecían sus frutillos salvajes. La hierba, con un verde tierno y nuevo, crecía hasta gran altura al borde de los lagos y las corrientes, los bulbos salían de la tierra, y mil flores y hierbecillas comestibles se ofrecían por doquier con asombrosa fecundidad.

No hay que decir que en semejante medio, *Miki* y *Niva* encontraban copiosas y continuas satisfacciones. En aquella tarde de agosto estaban echados en una pequeña meseta llena de sol, desde la que se dominaba un valle maravilloso. *Niva,* atiborrado de sabrosas bayas y otros frutos, habíase quedado dormido. *Miki* también se adormecía beatíficamente. Hasta sus oídos llegaba la canción de las aguas del arroyo que corría abajo, entre guijarros blanquísimos...

Al fin el perro se puso en pie, y, luego de recorrer con la vista todo el inmenso valle, se acercó a *Niva,* mordiéndole dulcemente en una oreja, como si le dijera:

—¡Despierta, querido *Niva!...* No duermas más con este día tan hermoso. Vamos a bajar al arroyo, en busca de alimento o de aventuras.

El osezno acabó por despertarse también, y se levantó. Luego lanzó un leve gruñido. *Miki* dejó oír el ladrido particular con el que siempre incitaba al osezno a seguirle, y los dos emprendieron el descenso hacia el arroyo.

Ya tenían seis meses y la estatura de un oso y de un perro, más bien que la de un osezno o de un perrillo. Las angulosas patas de *Miki* adquirían forma. Su pecho se había redondeado, y su cuello, su busto y sus mandíbulas estaban tan desarrollados que dábanle el aspecto de un perro dos veces más grande que los de su edad.

El oso, por su parte, aunque ya no tenía aquella forma de bola perfecta, denotaba por su aspecto que había sido destetado hacía un tiempo relativamente corto. Pero su carácter habíase ido transformando, y era ahora un animal agresivo y batallador.

A *Miki* le ocurría otro tanto. Y uno y otro tenían el cuerpo lleno de cicatrices a pesar de su juventud. Los picos y las uñas de aves de presa, los colmillos y las garras de los lobos y de los felinos teníanles señalados numerosos sitios. Y *Miki* tenía un flanco de su cuerpo desprovisto por completo de pelo, a consecuencia de una terrible mordedura.

Niva deseaba batirse con un animal de su misma especie. Pero las dos ocasiones que se habían presentado le salieron fallidas, por ir los oseznos acompañados de sus madres.

Así es que cuando se marchaba en busca de aventuras, el perro siempre delante, el oso a algunos metros, *Niva* no marchaba, como antes, sólo pensando en la comida. Esto no quiere decir que hubiera perdido el apetito, pues comía por tres de su especie. *Miki* hacía tres comidas al día; *Niva*, en cambio, no hacía más que una, pero ininterrumpida, desde la aurora hasta el crepúsculo. El perro, siempre que se volvía a mirarlo, se lo encontraba mascando algo.

A un cuarto de milla de la meseta, en el lecho de un barranco por donde corría un arroyo minúsculo, crecían las más ricas y sabrosas moras de todo el país de Shamattawa. Gruesas como cerezas, negras como la tinta, hinchadas de jugo aromoso, pendían en enormes racimos, y el oso habíase declarado propietario absoluto de esta región deliciosa, donde podía comer de los ricos frutillos hasta hartarse.

Miki también había aprendido a comer moras. Y allí se dirigieron aquella tarde, en busca del excelente postre. Además, para el perro ofrecía aquel sitio otros encantos y ventajas: abundaban las liebres, las perdices, los nidos llenos de avecillas jóvenes y fáciles de atrapar..., y numerosas especies de ardillas de carne blanquísima.

Acababan apenas de iniciar su banquete de moras, cuando oyeron el ruido de unos pasos extraños a veinte o treinta pies por encima de ellos en el barranco. Algún intruso estaba robando su provisión de moras. *Miki* mostró los dientes y *Niva* lanzó un gruñido amenazador. Avanzando a pasos furtivos en dirección del ruido, llegaron al borde de un pequeño espacio descubierto y llano como una tabla. En el centro se erguían una espinosa zarza, de un metro apenas de circunferencia, y un osezno negro, más grande que *Niva*, que estaba comiendo tranquilamente moras.

Niva, ciego de rabia, en el estado de ánimo de un hombre que penetra en su casa y se encuentra a un ladrón desvalijándole, se lanzó sobre el enemigo.

Se alegraba de tener al fin ocasión de matar a un animal de su misma especie.

Miki no hubiera esperado en cualquier otra circunstancia a que el osezno diera la señal de combate: el perro hubiérase lanzado el primero sobre la presa. Pero esta vez fue *Niva* el que, antes de que *Miki* hubiera podido hacer un movimiento, cayó como una catapulta sobre el desprevenido osezno.

(Si Makoki, el viejo indio *cree*, hubiera asistido a este ataque, habría bautizado inmediatamente al otro osezno con el nombre de *Pitout-a-wapis-koum,* lo que literalmente quiere decir arrojado a puntapiés, o por abreviación, hubiésele llamado *Pitout,* porque los indios ponen nombres a los animales según los sucesos en que éstos intervienen.)

Cogido enteramente desprevenido, con la boca llena de moras, el pobre *Pitout* rodó como una masa, y *Miki* no pudo reprimir un ladrido de aprobación. *Niva,* antes que el otro pudiera rehacerse, ya le había cogido ferozmente por la garganta.

Entonces comenzó una lucha terrible entre los dos oseznos. Los osos jóvenes combaten de una manera especial, golpeándose con las patas traseras, con cuyas garras rasgan las carnes a su enemigo. Durante un gran rato, los dos osos rodaron de acá para allá, unidos en mortal abrazo, sin lanzar el más pequeño gruñido. *Miki* veía volar el pelo de los dos combatientes y escuchaba el ruido sordo y seco de sus colmillos. Pero el perro, que estaba a la expectativa, no sabía ahora cómo iba a terminar el combate entre los dos adversarios, que se arañaban y laceraban furiosamente con sus ocho patas girando y volteando semejantes a las aspas de un molino de viento, siéndole imposible saber quién era el vencido y cuál el vencedor.

Al fin, un leve gemido de angustia de *Niva* hizo comprender a *Miki* que su amigo llevaba las de perder... Entonces, aunque *Niva* iba a ser vencido sólo porque su enemigo era de bastante más talla, el perro creyó llegado el instante de intervenir.

Y, lanzándose sobre *Pitout,* le mordió ferozmente en una oreja.

El osezno, que no esperaba el ataque de un nuevo enemigo, desgarrado de dolor, lanzó tal ruido de angustia, que conmovió todo el valle. Al mismo tiempo había soltado a *Niva,* que estaba debajo de él aplastado y medio vencido ya..., y que salió corriendo como una bala.

Un instante después, descendiendo por el barranco, con el ímpetu de un toro salvaje, llegó la madre del osezno atacado, la madre misma de *Pitout,* que se lanzó sobre *Miki.* Éste la vio en el segundo preciso en que la terrible osa levantaba una de sus zarpas para aplastarle..., y apartándose con astucia, el perro hizo que el golpe de la madre diera con tal violencia sobre el propio *Pitout,* que el osezno fue proyectado como una pelota veinte metros más allá.

Miki no esperó más.

Con la velocidad del relámpago, huyó también arroyo abajo, juntándose con *Niva.* Luego, durante un gran rato, galoparon, el uno al lado del otro, sin volver siquiera la cabeza.

Detuviéronse una milla más lejos y se sentaron. Iban jadeantes. *Niva* aparecía cubierto de pelos y de sangre de su enemigo. La propia le manaba por numerosos arañazos.

Cuando miró a *Miki,* su morro tomó una expresión dolorosa, como queriendo decir a su compañero de fatigas que comprendía habíase metido con un animal superior..., y que, en una palabra, *Pitout* habíale propinado una respetable paliza.

CAPÍTULO XII

EL SUEÑO DE *NIVA*

Después de la batalla del barranco, el osezno y *Miki* no sintieron ya más deseos de volver a los bellos parajes donde crecían frutos tan sabrosos. *Miki* era un aventurero de cabeza a rabo, y, a semejanza de los antiguos piratas, no era feliz más que estando en camino.

El desierto había vuelto a apoderarse de él, y ahora habría huido de un campamento humano lo mismo que el osezno. Pero las bestias tienen su destino, como los hombres, y en el momento en que los dos compañeros se dirigían al Occidente, hacia las vastas y misteriosas regiones del Gran Lago y del país de los ríos, se preparaban los acontecimientos y las horas más sombrías quizá de la vida del pobre *Miki.*

Durante seis semanas magníficas y llenas de sol, las últimas del verano y las primeras del otoño, hasta mediados de septiembre, marchando siempre hacia Occidente, los dos amigos recorrieron las comarcas de Jackson's Knee, del Touchwood, de la Clearwater y del lago de Dios. Vieron muchas cosas en aquella extensión de cien millas cuadradas de una belleza incomparable. En ciertos lugares retirados descubrieron grandes colonias de castores; sorprendieron el deporte de las nutrias, encontrando con tanta frecuencia praderas donde pastaban antas y renos, que ya no les inspiraban temor; en lugar de evitarlos, corrían audazmente a las praderas y al borde de los pantanos donde aquellos animales buscan su alimento. *Miki* aprendió allí esta gran lección: que la garra y el colmillo están hechos para subsistir a expensas de la pezuña y el cuerno, pues los lobos eran muy numerosos; una docena de veces les vieron abatir a sus presas, y, más a menudo aún, oyeron el rumor pavoroso de sus terribles cacerías en bandada. Pero después de su experiencia con la loba renegada *Maigune, Miki* había perdido el deseo de unirse a la horda salvaje. Por su parte, *Niva,* cuando encontraban restos de animales muertos por los lobos, no insistía ya en permanecer junto a ellos. Y era que el oso presentía intensamente su gran metamorfosis, los primeros síntomas del *Kuashka-Hao.*

Miki no observó el cambio operado en el osezno hasta principios de octubre. Entonces, *Niva* comenzó a mostrarse cada vez más inquieto, sobre todo cuando llegaron las noches frías. Ahora era *Niva* quien tomaba la iniciativa en sus vagabundeos, pareciendo buscar siempre algo misterioso, que *Miki* no podía sentir ni ver. Ya no dormía durante horas consecutivas. Hacia mediados de octubre no dormía apenas, pero andaba día y noche, comiendo sin cesar, y husmeando continuamente la brisa para descubrir lo que la Naturaleza parecía ordenarle que encontrara. El perro se mostraba constantemente alerta, presto a atacar al ser que buscaba *Niva*. Pero éste parecía no encontrar nunca la cosa fugitiva que anhelaba.

Luego *Niva* volvió hacia el Este; atraído por el instinto de sus antepasados, retornó hacia el país de su madre *Nuzak* y de su padre *Suminitik*. Y *Miki* le siguió.

Las noches iban siendo cada vez más frías. Las estrellas parecían más lejanas, y la luna, sobre las selvas, había perdido su color sanguinolento. El grito del somorgujo reflejaba una expresión melancólica, una nota de dolor y de lamentación. En sus chozas y bajo sus tiendas, las gentes del bosque husmeaban el aire en las mañanas heladas, untaban sus lazos o cepos con aceite de pescado o grasa de castor, fabricaban sus abarcas de pies de gamo, reparaban sus raquetas y sus trineos, pues el grito del somorgujo les advertía que el invierno descendía lentamente del Norte. Y los pantanos devenían silenciosos. La anta hembra no llamaba ya a sus hijos; en lugar de su mugido oíase en las llanuras o en los riachuelos el clarín de desafío de los machos y el entrechoque mortal de los cuernos bajo las estrellas. El lobo no aullaba ya para oír su voz. Las patas peludas corrían con precauciones de caza furtiva. Comenzaba a fluir la sangre roja en toda la selva.

Llegó noviembre.

Miki quizá no olvidase nunca el día en que la nieve hizo su aparición. Al principio creyó que todos los volátiles del mundo perdían sus plumas blancas. Luego, el frío que comenzó a sentir bajo sus patas hizo nacer en él la alegría salvaje con que los lobos acogen la llegada del invierno.

El efecto producido en *Niva* fue completamente opuesto, hasta el punto de que *Miki* mismo se afectó mucho, esperando los resultados de aquel cambio con mucha ansiedad. Desde el primer día de nieve, el osezno se puso a comer cosas extrañas, en particular hojillas tiernas de pino, y pulpa seca de troncos podridos. Después penetró en una gran hendidura de un acantilado y encontró por fin lo que buscaba: una caverna profunda, tibia y oscura.

La Naturaleza ha concedido instintos misteriosos a los animales..., y *Niva* fue a dormir su primer sueño de invierno a la caverna donde *Nuzak* lo había echado al mundo.

Allí estaba aún su viejo nido, un hoyo hecho en arena fina, lleno de pelos de *Nuzak*. Pero el olor de la madre había desaparecido. *Niva* se echó en el nido y lanzó por última vez un gruñido cariñoso a *Miki*. Una fuerza misteriosa e irresistible parecía cerrarle los ojos y obligarle a decir a su compañero de aventuras:

—¡Buenas noches, querido *Miki!*

Aquella noche, el *Pipu-kestine*, o sea la primera tormenta de invierno, se abatió como un alud, bajando de las comarcas del Norte con un viento semejante al mugido de un millar de bueyes. En toda la extensión del desierto no hubo un solo animal que no permaneciera escondido. Desde lo más profundo de la caverna, *Miki*, aplastándose contra *Niva*, oía los golpes del ariete y los lamentos de huracán con el silbido de proyectil de la nieve azotando la entrada, alegrándose infinito de haber encontrado un abrigo.

Cuando a la mañana siguiente se acercó a la entrada de la caverna, se quedó absorto y confundido. Todo estaba blanco, con una blancura cegadora. El sol le lanzaba mil destellos, como si la tierra se hubiese cubierto de luceros durante la noche. Las rocas, los árboles, los matorrales, todo reflejaba la luz del sol. El valle entero parecía un mar luminoso. *Miki* no recordaba un día más bello, y su corazón latió con alegría salvaje.

Gimoteó, y volvió corriendo hasta el sitio donde estaba *Niva*, al que empujó varias veces con el morro. El osezno lanzó un gruñido sordo, se estiró, levantó la cabeza un momento y volvió a dejarse caer hecho una bola. En vano protestó *Miki* haciendo porque su amigo comprendiera que era de día y había llegado el instante de partir. *Niva* no contestó.

Al cabo de algún tiempo, el perro salió de nuevo a la entrada de la caverna, deteniéndose allí en espera de que *Niva* saliera también. Decepcionado, se aventuró solo sobre la nieve, pero durante una hora no se alejó de la entrada de la gruta más de dos o tres metros. Por tres veces volvió junto al osezno, incitándole a despertar y a salir al aire libre. El fondo de la caverna estaba oscuro, y el perro se esforzaba en demostrar a su amigo que cometía una estupidez no saliendo, ya que el sol lucía sobre el mundo. Todo fue inútil. *Niva* había empezado su largo sueño. Estaba en el límite del *Uske-po-a-miu,* la tierra de ensueño de los osos.

A la larga, *Miki* acabó por comprender que a *Niva* le ocurría algo extraño, y ya no tuvo deseos, como antes, de morderle en las orejas para que despertara. Entonces, apenado por aquella ausencia del amigo, salió definitivamente de la cueva y descendió hasta el valle.

Tenía hambre, pero aquel día siguiente a la tempestad le ofrecía pocas probabilidades de encontrar caza. Las liebres estaban completamente amortajadas bajo las matas u otros abrigos, y permanecían muy tranquilas en sus tibias madrigueras Nada se había movido durante la tormenta.

El perro no halló rastro de ser viviente, y por ciertos sitios se hundía hasta el lomo en la blanca nieve. Se hizo camino hasta el arroyo y no pudo reconocerlo. Estaba rodeado de nieve y tenía un aspecto sombrío. Su voz misma se había transformado: su murmullo actual en nada se parecía a su saltarina canción de estío y de otoño; había ahora amenaza en su monótono zurrido. Algún espíritu tenebroso y siniestro parecía haber tomado posesión de él, advirtiéndole que los tiempos estaban revueltos, que una fuerza extraña había venido a imponer nuevas leyes a la tierra donde él nació.

Miki bebió un poco de agua con precaución: estaba fría, helada. Poco a poco se imponía a él la idea de que en la belleza de aquel mundo nuevo, que sin embargo era el suyo, no latía ya el ritmo ardiente de la vida. ¡Estaba solo, *solo!* Todo lo demás estaba amortajado; todo lo demás parecía muerto.

Volvió junto a *Niva* y permaneció echado con su amigo todo el resto de la jornada y la noche siguiente. A medianoche, se levantó un instante y se acercó a la entrada de la caverna. La luna brillaba a través del ramaje de los árboles, cargados de nieve, semejante a un sol lívido. Los mismos astros no le parecieron los que él había visto hasta entonces, y a sus pies yacía también la tierra terriblemente blanca y silenciosa.

Al rayar la aurora intentó despertar de nuevo a *Niva;* pero esta vez no insistió apenas ni le mordió las orejillas. Comprendía cada vez más que le había ocurrido algo a su camarada, algo que no acertaba a comprender, pero que era para él de mal agüero.

Volvió a la caza. Gracias a las huellas dejadas por las liebres sobre la nieve, encontró con facilidad el rastro de una y la mató, devorándola con placer. Luego mató otra, y otra, y otra más... Hubiera podido seguir cazando indefinidamente, pues revelados por la nieve, los refugios de las liebres constituían para ellas verdaderas trampas... *Miki* volvió a sentir la alegría y el gozo de vivir. Jamás había comido tanto. Y cuando estuvo harto, llevó a *Niva* una liebre entera, acabada de matar por sus poderosos colmillos. Colocó la delicada ofrenda junto a su camarada y se puso a gemir dulcemente. Pero no obtuvo de *Niva* otra respuesta que un suspiro más profundo y un ligero cambio de posición. A media tarde, el osezno se levantó, se estiró y olió la liebre, pero no probó bocado. Ante la consternación de *Miki*, dio varias vueltas sobre sí mismo y se durmió de nuevo en su lecho de arena.

Al día siguiente, hacia la misma hora, *Niva* se despertó otra vez, llegándose hasta el orificio de la caverna, donde dio algunas lengüetadas a la nieve. Pero se negó de nuevo a comer la liebre. La Naturaleza le advertía que no perturbase la digestión de las hojillas de pino y la corteza seca de que se había atiborrado el estómago y el vientre. Después se volvió a dormir y ya no se levantó más.

Los días se sucedían unos a otros y *Miki* se iba sintiendo cada vez más abandonado a medida que el invierno se acentuaba. Cazaba solo. Durante todo el mes de noviembre, volvió cada noche a la caverna a dormir junto al amado *Niva*. El osezno estaba inmóvil como un muerto, pero su cuerpo seguía caliente, respiraba y lanzaba de vez en cuando pequeños ruidos guturales. Pero esto no podía colmar los grandes deseos de fraternidad que sentía *Miki*, de compañía, de calor. Experimentaba por el osezno una verdadera y profunda ternura. Durante las primeras semanas del invierno, le trajo fielmente carne a la caverna todos los días. Sentía una pena extraña, mayor que si *Niva* hubiese muerto. Porque *Miki* comprendía que su amigo vivía, aunque le era imposible explicarse lo que le había ocurrido. De estar muerto el osillo, él le hubiera definitivamente abandonado.

Sucedió que una tarde, *Miki,* que habíase alejado en su caza mucho más que de costumbre, ya no volvió a la caverna. Aquella noche durmió bajo unas matas. Desde entonces, no pudo resistir a la voz de la aventura, que le llamaba imperiosamente. Luego faltó otra noche al dormitorio común, y después, una tercera. Al fin, el entendimiento habíale hecho comprender que *Niva* no le acompañaría de nuevo en sus correrías vagabundas a través del bosque y las llanuras. Ya nunca afrontarían los dos juntos las tragedias y las comedias de la vida. No era más que un recuerdo aquella existencia surgida en la verdura, el calor y la luz dorada; el mundo de ahora era un mundo blanco, que sólo encerraba, por lo visto, cosas inertes, muertas.

El oso no supo cuándo *Miki* abandonó la caverna de una manera definitiva. Esto no obstante, quizás el Espíritu Bienhechor de las bestias le advirtió de aquella marcha del bondadoso compañero, porque durante muchas noches y muchos días se agitó *Niva* de un modo extraño, como si tuviera ensueños misteriosos.

"¡Estáte tranquilo y duerme! —parecía decir el Espíritu—. El invierno es largo. Los ríos son ahora negros y fríos, los lagos están cubiertos de hielo, y las cataratas heladas semejan enormes gigantes blancos. ¡Duerme! *Miki,* tu buen amigo, debe seguir corriendo hasta el mar. ¡Él es un perro y tú un oso!... *¡Duerme!*"

CAPÍTULO XIII

JACOBO *EL HERMOSO* Y SUS TRAMPAS

Hacía mucho tiempo que ninguna región del Norte había conocido una tempestad tan horrible como la que siguió pocos días después de la terrible nevada, a fines de noviembre de aquel año, del que se hablará mucho tiempo con el nombre de *Kusketa Pippune* (el año negro), el año del gran frío repentino, el año de escasez y de muerte.

Estalló una semana después de haber abandonado *Miki* la caverna donde dormía *Niva.* Durante todos los días precedentes, el bosque yacía bajo su blanco manto, pero el sol resplandecía, la luna y las estrellas se destacaban como lámparas de oro en la pureza del cielo nocturno.

El viento venía del Oeste. Las liebres, las antas, los renos, abundaban..., y los primeros aullidos de los lobos, lanzados en seguimiento de las presas, hicieron estremecerse de alegría a millares de tramperos encerrados en sus chozas.

La tormenta se desencadenó de un modo inesperado. El sol brillaba en un cielo sin nubes. De repente, la luz comenzó a faltar, y cayó un crepúsculo tan rapidísimo que los cazadores que visitaban sus líneas de trampas detuviéronse sorprendidos y asustados. Un trueno espantoso retumbó horrísono... y la tempestad se abatió sobre la tierra, y durante tres días y tres noches castigó con la rabia de un toro furioso escapado del septentrión.

Los bosques fueron arrasados, y la tierra entera sofocada por un alud de agua. Todos los seres que respiran huyeron o murieron... La nieve que se amontonaba en dunas, en montañas, era redonda y dura como granos de plomo, y su caída fue acompañada de un frío intenso. Al tercer día el termómetro marcaba sesenta grados bajo cero en la región comprendida entre la Shamattawa y el Jackson's Knee.

Al cuarto día comenzaron a moverse los seres que habían sobrevivido a la cólera de la Naturaleza. Las antas y los renos levantaron la espesa capa de nieve que les había protegido, y los seres más pequeños hubieron de hacer largas galerías para aparecer, al fin, en la superficie helada de la tierra.

La mitad de los pájaros y de las liebres habían perecido, pero el tributo más grande lo habían pagado los hombres: más de quinientas víctimas se contaron entre la bahía de Hudson y el Atabasca.

Al comenzar la tormenta, el pobre *Miki* se encontraba en las tierras pantanosas del Jackson's Knee. El instinto le precipitó hacia el alto bosque, donde pronto pudo esconderse bajo un montón de troncos caídos y de ramas rotas. Allí estuvo sin moverse, sepultado por la nieve, los tres días y las tres noches que duró la furia de los elementos desatados. Ahora echaba profundamente de menos la caverna y la compañía del osezno. La amistad de *Niva,* el recuerdo de sus aventuras, de sus dolores y de sus miserias compartidos, se le despertaban allí con una precisión maravillosa... y en la oscuridad de su refugio, amortajado cada vez más profundamente por la nieve, soñaba.

Soñaba con Challoner, con *Niva,* con aquellos días hermosos en los que él y el osezno erraban por las praderas, felices y contentos..., en fin, con aquel sueño inexplicable del amado compañero.

Esto último era lo que *Miki* no podía comprender. Despierto y escuchando el bramido de la tempestad, se preguntaba por qué *Niva* había cesado de cazar con él, durmiéndose con un sueño del cual le fue imposible sacarle. A través de aquellas largas horas de tempestad, la soledad, más que el hambre, le hacía sufrir. Cuando salió de su refugio en la mañana del cuarto día, se le conocían las costillas y sus ojos veíanse rodeados de un nimbo rojo. Lo primero que hizo fue mirar hacia el Sudeste y gemir.

Aquel día franqueó veinte millas sobre la nieve, dirigiéndose hacia la colina donde había dejado a *Niva.* El sol resplandecía con tal ardor, que el reflejo de la nieve hacíale daño a los ojos, poniéndoselos enrojecidos. Cuando llegó al término de su viaje, comenzaba a caer el crepúsculo sobre los bosques. *Miki* subió la colina de la caverna. Pero la misma colina estaba transformada. El viento había amontonado la nieve en aquel punto en formas grotescas y monstruosas. Las rocas y los matorrales habían desaparecido por completo. Y en el sitio donde debía encontrarse la entrada de la gruta se elevaba una masa de nieve de diez pies de espesor.

Transido y hambriento, emaciado por tantos días y noches de terrible ayuno; perdida también su última esperanza ante aquellas despiadadas montañas de nieve, *Miki* volvió sobre sus pasos. No le quedaba otro recurso que volver al refugio de los troncos. Su corazón no sentía ya la alegría y la decisión de aquellas horas pasadas junto al osezno.

A pesar de sus patas casi insensibles, doloridas, continuó su camino. Salieron las estrellas. A su luz lívida, la tierra, los árboles, los montículos de nieve, tomaban formas fantásticas; hacía frío, un frío terrible. Los árboles comenzaban a desgajarse: de vez en cuando oíase como un pistoletazo cuando el hielo les hería el corazón. Hacía un frío de treinta grados bajo cero, y el tiempo tendía a recrudecerse más aún. *Miki* continuaba andando, con la única idea de llegar a su pobre refugio. Nunca en su vida había sometido sus fuerzas y su resistencia a una prueba tan dura. Muchos perros más robustos y de más edad que él habrían caído extenuados en el camino, o habrían preferido buscar un refugio provisional en la marcha. Pero *Miki* era el verdadero hijo de *Hela,* el gigantesco *Mackenzie,* y continuaba andando hasta triunfar o morir.

Mas le ocurrió una extraña aventura.

Había caminado veinte millas para llegar a la coliña del osezno, y quince de las veinte del regreso, cuando, inesperadamente, la nieve se hundió bajo sus patas y cayó en un abismo.

Cuando salió de su sorpresa y se irguió sobre sus patas, medio heladas, se encontró en un sitio bien curioso.

Había rodado hasta el fondo de un gran hoyo en forma de choza, construido con ramas y tallos de abeto, dilatando sus narices un fuerte olor de carne.

La descubrió en seguida a un palmo de su morro: era un trozo de anta helado, fijo al extremo de una estaca puntiaguda..., y sin preguntarse cómo diablos se encontraba allí aquella carne apetitosa, el perro se atracó glotonamente.

Un individuo, conocido por el nombre de Jacobo *el Hermoso*, que habitaba a ocho o diez millas al Este, era el único que hubiese podido explicarse el fenómeno. *Miki* había rodado a una de sus trampas y estaba devorando su cebo.

El pedazo de carne no era muy grande, pero bastó para dar nuevas fuerzas a *Miki.* Su olfato habíase hecho más sensible, y el perro se puso a escarbar en la nieve. Al cabo de algún tiempo, sus dientes encontraron algo duro y frío. Era un cepo de acero, enterrado más de un pie en la nieve, y del que pronto *Miki* arrancó una liebre congelada, que aunque muerta desde varios días atrás, estaba bien conservada por el frío. *Miki* la devoró íntegra. Luego se dirigió hacia su refugio, durmiendo hasta que vino el nuevo día.

Aquel mismo día, Jacobo *el Hermoso,* al que los indios llamaban *Meutchet-ta-ao* (o sea el *hombre sin corazón),* visitaba sus líneas de trampas, reconstruyendo algunas y poniéndoles cebo fresco.

Aquella tarde, *Miki*, que andaba cazando, descubrió su pista en un pantano situado a algunas millas de su refugio. Pero el alma del perro no estaba ya trastornada por el deseo de un amo. Olfateó con desconfianza las huellas de las raquetas de *el Hermoso:* y los pelos de su espina dorsal se estremecieron mientras sondeaba el viento y escuchaba.

Siguió la pista con precaución, y cien metros más allá encontró uno de los *kekeks* o escondecepos del trampero. Allí también había carne fijada a una estaca. Bajo su pata delantera se produjo un chasquido pérfido y las mandíbulas de acero le escupieron al morro fragmentos de madera y de nieve. Gruñó y esperó unos instantes con los ojos fijos en él.

Entonces, sin moverse ni un milímetro, alargó el cuello hasta que pudo alcanzar la carne. Así descubrió la amenaza oculta de aquellos dientes de hierro, revelándole su instinto la manera de burlar la trampa.

Durante un tercio de milla siguió aún las huellas de *el Hermoso*. La presencia de aquel nuevo peligro estremecíale, pero no abandonaba la pista. Un impulso irresistible le empujaba hacia delante. Llegó a una segunda trampa, y esta vez devoró la carne sin tocar para nada el cepo, que adivinaba escondido un par de centímetros no más bajo la nieve. Al alejarse entrechocaba sus largos colmillos. Estaba impaciente por encontrar la bestia humana. Pero no se apresuraba. Quitó la carne de tres cepos más.

Luego, como el día iba cayendo, se dirigió hacia el Oeste, recorriendo pronto las cinco millas que separaban el pantano de su refugio.

Media hora después, Jacobo *el Hermoso* volvía de su visita de inspección. Encontró la primera trampa sin cebo, y al ver las pisadas en la nieve, murmuró, asombrado:

—¡Diablo!... ¡Un lobo... y en pleno día!...

Luego, una expresión de asombro se reflejó en su rostro. Se arrodilló y examinó las huellas.

—¡No! —murmuró—. ¡Es un perro! ¡Un diablo de perro salvaje que acaba de robarme mis cebos!...

Se puso en pie, lanzando un terno.

Luego sacó de un bolsillo de su recio abrigo una cajita de metal blanco y cogió una bola de grasa, en el interior de la cual había una píldora de estricnina.

Aquel veneno estaba destinado a los lobos y a las zorras.

El Hermoso gozaba de antemano, mientras colocaba el cebo mortal en la punta de la estaca, con otro grueso trozo de carne.

—¡Oh, oh! —gruñó—; un perro salvaje. ¡Ya le enseñaré yo! ¡Mañana estará muerto!

Luego fue poniendo cebo nuevo en cada uno de los cinco cepos de los que *Miki* había devorado la carne... Y, en el interior del cebo, colocó sendas pildoritas de estricnina.

CAPÍTULO XIV

LA HORDA DEMENTE

Al día siguiente por la mañana, *Miki* recomenzó su visita a los cepos de Jacobo *el Hermoso*. La facilidad de procurarse carne por este medio no era lo que le tentaba. Habríale gustado mucho más cazar por sí mismo. Pero aquellos sitios, con su olor de bestia humana, le atraían como un imán.

En los lugares donde la emanación era más fuerte, sentía el perro impulsos de echarse y esperar. Sin embargo, su deseo estaba mezclado con cierto temor, y tomaba cada vez más precauciones. Se abstuvo, pues, de tocar la carne del primer cepo y la del segundo. En el tercero, Jacobo había manoseado mucho la bola de grasa, y estaba fuertemente impregnada del olor de sus manos.

Una zorra hubiera huido inmediatamente. *Miki* la arrancó de la estaca y la dejó caer en la nieve, entre sus patas delanteras. Luego miró a su alrededor y escuchó durante un instante. Al fin se puso a lamer la bola.

El olor de las manos de *el Hermoso* hizo que no se la tragara en seguida, como había hecho con la carne de los cepos del día anterior. Con una lentitud desconfiada, aplastó la bola entre sus dientes. La grasa era buena. Y ya estaba a punto de engullirla,. cuando advirtió otro sabor muy desagradable. Inmediatamente escupió sobre la nieve lo que le restaba de la bola en la boca. Sin embargo, el sabor acre del veneno persistía en su paladar y parecía hundírsele garganta abajo. Cogió entonces un bocado de nieve y la tragó para contrarrestar la sensación de quemadura que iba sintiendo bajarle hasta las mismas entrañas.

Si hubiera tragado la bola como había hecho con los otros cebos de los cepos, habría muerto antes de un cuarto de hora, y *el Hermoso* no hubiese tenido que ir muy lejos para encontrar su cadáver.

De todos modos, comenzó a sentirse indispuesto al cabo de unos quince minutos.

En cuanto experimentó los primeros síntomas del mal, huyó en dirección a su refugio.

Apenas había recorrido una pequeña distancia, cuando de repente sus patas perdieron el equilibrio y la fuerza, y *Miki* cayó al suelo, presa de escalofríos. Todos los músculos de su cuerpo se estremecían, al tiempo que sus dientes castañeteaban. Sus ojos se dilataron, y le fue imposible, poco después, ejecutar movimiento alguno. Luego sintió una extraña rigidez en la nuca, como si una mano tratase de estrangularle mientras la respiración salía angustiosamente de su garganta. Este entorpecimiento local se fue extendiendo como un reguero de fuego por todo su cuerpo. Sus músculos, que un momento antes se estremecían, se quedaron rígidos e inertes. La opresión ahogadora en la base del cerebro le obligó a echar la cabeza atrás hasta que su morro quedó apuntando al cielo.

No lanzó ni un quejido, aunque estuvo un gran rato como en la agonía.

Luego vino la crisis. Como una cuerda que estalla, el horrible nudo invisible de su nuca se aflojó, desapareció la rigidez de su cuerpo, que fue sacudido por una especie de corriente helada, y comenzó a retorcerse, con dolores feroces, sobre la nieve. El espasmo duró cerca de un minuto. Cuando cesó, *Miki* quedó anhelante. La baba le pendía de su morro amoratado y frío. Pero el pobre animal vivía. Ni el grueso de un cabello habíale faltado para morir.

Al cabo de algún tiempo se levantó y pudo comenzar a caminar lentamente hacia su guarida.

En adelante, Jacobo *el Hermoso* podría jalonar su ruta de píldoras envenenadas: él no las tocaría y jamás volvería a robar la carne fijada en la clavija de un cepo.

Dos días después, *el Hermoso* descubrió en la nieve el sitio en que *Miki* había sostenido su feroz lucha con la Muerte, y sintió una rabia loca de no encontrar el cadáver de su enemigo. Comenzó a seguir las huellas del perro. Era ya mediodía cuando llegó al montón de troncos y ramajes que servía de refugio al pobre animal. Se agachó para mirar hacia dentro, pero no vio nada. En cambio, *Miki,* echado, pero vigilante, le vio a él perfectamente.

Aquel hombre le recordó el monstruo barbudo que meses antes estuvo a punto de matarlo con un leño.

El perro sintió como una especie de decepción, pues en el fondo de su pensamiento subsistía el recuerdo del amado Challoner, el amo perdido. Pero cuando encontraba el rastro de la bestia humana, no era jamás el del dueño de otros tiempos.

El Hermoso le oyó gruñir, y sintió una inmensa alegría. ¡Ah, vamos, allí estaba! Como no podía penetrar en la extraña guarida, ni obligar al animal a que saliera, tuvo un idea infernal: prender fuego al montón de troncos y ramaje.

Desde el fondo de su madriguera, *Miki* oyó sus pisadas sobre la nieve. Algunos instantes después, le vio volverse a agachar, como si examinara el escondrijo.

—¡Odiosa bestia! —dijo el hombre con tono sarcástico.

Y el perro gruñó nuevamente.

El Hermoso estaba satisfecho.

El montón de ramaje y de troncos mediría unos cuarenta pies de diámetro, y a su alrededor, el bosque era muy llano y desprovisto de arbustos.

Le sería imposible al perro escapar a su fusil.

De nuevo *el Hermoso* dio la vuelta al montón de leña. Por tres partes estaba completamente hundido bajo la nieve. La única salida era aquel agujero por el que el hombre se había asomado. Amontonó, pues, madera seca y le prendió fuego por el lado donde soplaba el viento. Las ramas y troncos secos del escondrijo comenzaron a crepitar de tal modo que *Miki* se preguntó extrañado lo que ocurría. Durante algún tiempo, el humo no llegó hasta él. *El Hermoso* esperaba, con el fusil preparado, fija la vista en el sitio por donde habría necesariamente de surgir el perro salvaje.

De pronto, el humo alcanzó a *Miki*, interponiéndose como una nube entre él y la salida. El humo aumentaba en intensidad, al tiempo que *Miki* oía cada vez más cercano el extraño crepitar de las ramas ardiendo. Entonces, por primera vez, los ojos de *Miki* descubrieron las llamas a través del ramaje. El fuego acababa de alcanzar unos troncos de abeto, impregnados de resina. Diez segundos después elevábanse las llamas cinco metros.

El Hermoso había apoyado ya su fusil en el hombro... En la inminencia del peligro, *Miki* no olvidó al hombre. Su instinto, aguzado hasta la astucia, como el del zorro, le hizo comprender inmediatamente la situación. Era la bestia humana quien había desatado contra él aquel nuevo enemigo. Y allí, junto a la entrada, el bruto bípedo espiaba su salida.

También, como un zorro, hizo lo que *el Hermoso* menos podía esperar. Deslizándose con cuidado, hundióse hasta el fondo mismo de su madriguera, y escarbó en la pared de nieve un túnel con la misma rapidez con que lo hubiera hecho un lobo o una zorra. Desgarró con los dientes la corteza exterior, de un espesor de media pulgada, y en un instante se encontró fuera con el fuego entre él y *el Hermoso*.

El refugio del perro era ya una inmensa hoguera. De

repente, *el Hermoso* retrocedió una docena de pasos para observar lo que pasaba al otro lado.

A cien metros de distancia percibió a *Miki* galopando hacia lo más espeso del bosque.

El blanco era fácil para Jacobo, acostumbrado a dar caza a las fieras a distancias mucho mayores. No se apresuró, seguro de no tener que disparar más que un solo tiro.

En el momento que disparaba, una voluta de humo arrastrada por el viento le azotó el rostro, y la bala pasó a tres pulgadas por encima de la cabeza de *Miki*.

Esta amenaza silbadora era nueva para el animal, pero reconoció el ruido de la detonación, y sabía lo que puede un fusil.

El cazador, que continuó apuntándole a través de la nube de humo, y que disparó tres veces más, tuvo la sensación de que el perro era un relámpago gris que se hundía en el bosque.

Miki desapareció en la espesura, lanzando un gruñido de desafío, precisamente en el instante en que la tercera bala de *el Hermoso* hacía volar la nieve bajo sus patas.

El sentimiento de haberse librado de la muerte por milagro no asustó a *Miki* hasta el punto de hacerle abandonar la región de Jackson's Knee. Al contrario, la presencia del hombre parecía encadenarle a aquellos parajes. Esto le permitió pensar en algo que no fuera su horrible soledad o el recuerdo del osezno amado. Del mismo modo que el zorro vuelve subrepticiamente a examinar la trampa donde ha estado a punto de dejarse coger, así *Miki* encontró un placer oculto y profundo en ver de nuevo de cerca la línea de cepos de Jacobo *el Hermoso*. Antes, el olor de la bestia humana no encerraba para él más que un sentido vago; pero ahora le indicaba la presencia de un peligro real y concreto. Su astucia se había aguzado.

No obstante, la fascinación de los cepos seguía ejerciéndose sobre él de un modo más fuerte que nunca.

Al abandonar su refugio incendiado, *Miki* dio una gran vuelta, para ganar el sitio donde las huellas de las raquetas de *el Hermoso* entraban en los terrenos bajos; y allí, escondido en un espeso matorral, espió su regreso una media hora más tarde.

A partir de aquel día, el perro frecuentó la línea de cepos como un fantasma gris y feroz.

A pasos lentos y cautelosos, siempre alerta contra el peligro que le amenazaba, hostigaba el pensamiento y los pasos de *el Hermoso* con la alucinada obstinación de un *loup-garou* de la Selva Negra. En el curso de la semana siguiente, el trampero le oyó aullar tres veces. Otras dos veces, le vio pasar como un relámpago, y otras dos veces más tuvo que abandonar su pista, extenuado y descorazonado.

Pero *Miki* no se dejaba sorprender de nuevo. Ya no se comía la carne de los cepos. Incluso llegó a no probar una liebre muerta que *el Hermoso* habíale colocado para seducirle. No tocaba tampoco los roedores que encontraba muertos en los cepos. Sólo robaba en las trampas las presas vivas, sobre todo los pájaros, las ardillas y las grandes liebres de patas membranosas en forma de raqueta. Y porque un día una nutria le saltó encima y le arañó cruelmente el morro, *Miki* destrozó numerosas nutrias, de tal manera que sus pieles no fueron aprovechables.

Encontró un nuevo refugio.

Pero ahora el instinto le hacía no dirigirse jamás allí directamente, sino dando grandes rodeos y tomando grandes precauciones.

Día y noche, *el Hermoso*, el monstruo humano, tramaba complots contra *Miki*. Cavó fosas y las cebó con carne sumergida en grasa hirviendo. Multiplicó los alimentos envenenados. Mató un gamo y espolvoreó sus entrañas con estricnina. Construyó un bastidor con ramas de abeto y de cedro, y permaneció numerosas horas al acecho, fusil en mano. Mas el perro jamás aceptaba el engaño.

Un día, *Miki* se encontró una gran nutria cogida en uno de los cepos. El perro no había olvidado la batalla sostenida en otros tiempos con *Uchak*, ni la paliza que había recibido. Pero no tenía ningún pensamiento de desquite la tarde que encontró a *Uchak*. De ordinario, el perro volvía hacia su refugio al crepúsculo; pero aquel día el sentimiento de su soledad le retuvo más en el camino. La mano del dios de los emparejamientos se dejaba sentir sobre él. El deseo que consume a unos seres por la compañía de otros seres le enfebrecía la sangre. Y no pensó ni en cazar ni en comer. Su alma estaba llena de una gran aspiración insaciable.

En tal estado de espíritu, encontró a *Uchak*. Acaso éste era el mismo que había encontrado meses antes y con el que luchó de un modo tan desfavorable. El animal, como *Miki* mismo, había crecido mucho. Era una bestia espléndida, con su cuerpo esbelto y su largo pelo sedoso. Ya no se movía, ya no protestaba. Sentado tranquilamente, luego de haberse debatido horas enteras en vano para librarse de la cadena que le sujetaba, esperaba pacientemente su destino implacable. Le dio la impresión a *Miki* de una criatura dulce, tibia y confortable, junto a la cual debían pasarse muy bien las noches, como las que él pasó junto al osezno adorado. Un deseo de camaradería, de compañía, le empujó hacia la nutria, y avanzó gimiendo dulce y quedamente. El perro quería hacer un amigo de este viejo enemigo de otros tiempos, y acostarse junto a él en paz y contento, pues la soledad le devoraba el corazón.

Uchak no contestaba, no hacía el más leve movimiento. Permanecía apelotonado, como una gran bola de piel, observando a *Miki*, que se acercaba a él rozando el suelo con el vientre.

El perro pareció incluso recobrar, por unos instantes, su carácter alegre de la infancia, y se puso a mover la cola y el cuerpo cariñosamente como diciéndole:

"¡Olvidemos el antiguo rencor, querido *Uchak*, y seamos buenos amigos! Yo tengo un refugio donde dormiremos juntos, e incluso mataré magníficas liebres para ti."

Uchak persistía en el silencio y en la inmovilidad. *Miki* había llegado tan cerca de él, que le hubiera podido tocar con una de sus patas delanteras. Se acercó aún más, y su cola movióse con más fuerza.

"Yo te libraré del cepo odioso — parecía decir —. Esto es una invención de la bestia humana, y yo le odio con todas mis fuerzas."

En aquel instante, y con una rapidez que impidió a *Miki* ponerse en guardia, *Uchak* se lanzó sobre él hasta donde lo permitía la longitud de la cadena que le aprisionaba. Con sus dientes y sus uñas, cortantes como navajas, destrozó el morro del pobre *Miki* con profundos arañazos. A pesar de esta agresión inesperada e injusta, la sangre combativa de *Miki* no se hubiese caldeado para la lucha, si la nutria no le hubiera clavado los dientes en la espalda.

Entonces, viendo que no podía librarse de su enemigo, *Miki* cogió a *Uchak* ferozmente por la nuca con sus colmillos enormes... Cuando soltó la presa, la nutria estaba muerta.

El vencedor huyó sin ningún entusiasmo por su victoria. Había matado, pero no experimentaba ninguna alegría. Pobre criatura de cuatro patas, sucumbía por fin a la obsesión que enloquece a los hombres. Se encontraba en el seno de un inmenso mundo, y este universo estaba vacío y solitario para él. Su corazón desbordaba de sociabilidad, pero el pobre *Miki* iba comprendiendo que todos los seres le temían o le odiaban. Él no era más que un proscrito, un paria, un vagabundo sin amigos y sin hogar. No razonaba estas cosas, pero su corazón martirizado, su pensamiento, estaban envueltos en un velo de tristeza y de negruras más espesas que las de la noche.

No quiso volver a su refugio, y permaneció sentado a cielo abierto, escuchando los ruidos nocturnos y observando la aparición de las primeras estrellas. La luna salió muy temprano, surgiendo como un disco rojo por encima de la arboleda. El perro lanzó un débil gemido lúgubre. Poco después se extravió en un vasto terreno pantanoso donde la atmósfera era tan clara que su sombra seguíale como en pleno día. Y fue allí donde el viento le llevó de pronto una vibración ya oída muchas veces.

Venía de muy lejos, arrastrada por el viento, como un murmullo de voces lejanas.

Era el rugido familiar de los lobos. *Miki* lo conocía desde su infancia, desde que, sobre todo, la loba *Maigune* habíale dado la terrible dentellada en la espalda. El sonido casi le era antipático. Pero no pudo por menos de estremecerse, y aquella noche el llamamiento de la sangre debía dominar en él todo temor y todo odio.

Allá abajo había *compañía;* allá sus hermanos salvajes corrían de dos en dos, o de tres en tres, como *camara-*

das. Y su cuerpo entero se estremeció. Un esbozo de respuesta le subió a la garganta, pero abortó en gemido.

Durante la hora siguiente dejó de oír el llamamiento aéreo. La banda había vuelto al Oeste, tan lejos, que sus voces se perdían. Y los lobos pasaron bajo la luna cerca de la cabaña de *Pierrot* el mestizo.

En la choza de *Pierrot* había un blanco, que se dirigía hacia el Fuerte de Dios. Vio a *Pierrot* hacer la señal de la cruz, y le oyó murmurar:

—¡Es la horda demente, señor!... Son los *Keskuao* (lobos furiosos), señor, que están así desde el principio de esta luna. El espíritu de los demonios vive en ellos.

Entreabrió la puerta para escuchar mejor aquel grito de locura. Cuando la cerró tenía en los ojos un temor extraño.

—De vez en cuando, señor, los lobos se enfurecen así en lo más crudo del invierno —dijo temblando—. Hace tres días eran veinte, señor, porque los he visto con mis propios ojos, y he contado sus huellas en la nieve. Después, muchos han sido muertos y despedazados por el resto de la banda. ¡Óigalos usted cómo deliran!... ¿Puede usted decir por qué los lobos enloquecen a veces en pleno invierno cuando no hace calor ni hay carroñas que los enfermen? No, ¿verdad? Pues bien, yo se lo diré. Son *loups-garous;* en sus cuerpos galopan los espíritus de los diablos, y aguijonean a las bestias hasta que revientan, pues los lobos que enloquecen durante las grandes nieves mueren siempre, señor. Es la cosa más extraña. ¡Se mueren!

Fue entonces cuando, volviendo al Este, después de dejar atrás la cabaña de *Pierrot,* la horda loca del Jackson's Knee entró en la región de los grandes pantanos donde los árboles estaban señalados con una doble X trazada por el hacha de Jacobo *el Hermoso.* Eran catorce, corriendo a la luz de la luna. Nadie ha podido adivinar exactamente por qué los lobos enloquecen muchas veces en el rigor del invierno. Es una especie de rabia, semejante a la de los perros, pero con manifestaciones infinitamente más horribles y feroces. Empieza acaso por un lobo, del mismo modo que un perro rabioso de trineo, mordiendo a sus compañeros, les comunica su terrible virus y transforma todo el atelaje en una querellosa y repugnante jauría.

Los lobos tenían ahora los ojos encarnizados. Sus cuerpos enflaquecidos veíanse llenos de heridas y muchos de ellos babeaban copiosamente. No corrían como los lobos cuando cazan. Era una bandada sospechosa y siniestra. Y su aullido no era tampoco el propio de los lobos cuando incitan a sus compañeros a perseguir una presa, sino un clamor loco y discordante.

Apenas *Pierrot* acababa de cerrar de nuevo la puerta, cuando uno de aquellos esqueletos grisáceos rozó el lomo de un compañero, el cual, volviéndose con la rapidez de una víbora, como el perro rabioso de los trineos, hundió profundamente sus colmillos en la carne del otro.

Si *Pierrot* hubiera presenciado esto, habría comprendido cómo desaparecieron cuatro de los lobos contados por él días antes.

Violento y terrible, como los chasquidos de un látigo, el combate se entabló entre los dos animales. Los doce restantes se detuvieron y formaron un corro horriblemente silencioso, como hombres que asisten a una escena de pugilato, dejando caer o haciendo rechinar sus mandíbulas y produciendo con su garganta gruñidos de impaciencia. Entonces llegó el incidente esperado. Uno de los combatientes cayó de espaldas. Su fin no se hizo esperar. Los doce espectadores cayeron sobre él como una sola bestia; como había predicho *Pierrot,* fue hecho trozos y devorado. Luego, los trece supervivientes se hundieron en el país de Jacobo *el Hermoso.*

Al cabo de una hora de silencio, *Miki* les oyó de nuevo.

Alejándose cada vez más del bosque, atravesó el terreno pantanoso y encontróse en una vasta llanura, limitada por dos crestas rugosas y bordeada por un gran río. Allí había menos oscuridad y la soledad no le pesaba tanto como en el alto bosque.

A través de la llanura llegaba hasta él el aullido de los lobos.

Miki quedó inmóvil. Esperaba. Su silueta se perfilaba bajo el cielo estrellado, en la cima de un altozano rocoso. La cima de aquel montículo era tan estrecha, que no habría permitido a otro animal permanecer a su lado sin tocarle. La llanura se extendía alrededor, iluminada por la luna. Nunca como esta noche había sentido el perro tantos deseos de contestar a sus salvajes hermanos.

Al fin, elevando el morro hacia el cielo azul, donde las estrellas parpadeaban, salió de su garganta un leve aullido. El instinto, sin embargo, habíale hecho comprender que no debía traicionarse. Luego, permaneció tranquilo, y como los lobos se acercaban, su cuerpo se alargó, se endurecieron sus músculos y su garganta dejó escapar un gruñido amenazador. *Miki* presentía un peligro inminente.

El perro había oído la nota siniestra del rugido de los lobos. Al escucharla, *Pierrot* se santiguaba, murmurando el nombre de los *loups-garous*, y *Miki* se agazapó sobre la cima del montículo.

Pronto descubrió unas sombras veloces que atravesaban la llanura entre el bosque y él. De repente las fieras se detuvieron y se agruparon en silencio para olfatear su rastro reciente sobre la nieve. Luego partieron en su dirección. Y en el rugido que salió de la garganta de las fieras había esta vez una nota más aguda, más delirante.

Diez segundos después, todos ellos cruzaron bajo el montículo, excepto un enorme lobo gris que se lanzó recto hacia *Miki*, al que sus compañeros no habían visto todavía.

Miki gruñó, viéndolo venir. El corazón del perro sintió una alegría infinita ante la perspectiva de una gran batalla. Sus antiguos temores desaparecieron como una voluta de humo dispersada por el viento. ¡Si estuviera allí *Niva* para protegerle por la espalda mientras él combatía de frente...!

Se irguió sobre sus patas y sostuvo frente a frente la acometida de la bestia. Sus mandíbulas entrechocaron, y por fin esta vez el lobo salvaje encontró unas fauces capaces de pulverizar su cabeza como huesos de lobato. Rodó a la llanura retorciéndose entre espasmos de agonía.

Pero ya otra forma, otra sombra gris había surgido en el puesto del lobo muerto. *Miki* plantó sus colmillos en el cuello del nuevo enemigo, en el instante en que el lobo intentaba trepar hasta dónde él estaba. Era el mordisco feroz de los perros del Norte, en pleno cuello del enemigo, que estrangulaba en medio segundo. De la garganta del lobo brotó un borbotón de sangre, como si hubiese recibido una cuchillada.

Y cayó sobre el cadáver de su compañero. En aquel momento, toda la banda llegó, echándose sobre *Miki*, que encontróse envuelto por aquel alud de cuerpos frenéticos.

Si solamente le hubieran atacado dos o tres, *Miki* habría sido destrozado en menos tiempo del que él tardó en matar a sus dos enemigos primeros; pero el número de asaltantes le salvó la vida. En terreno llano el perro hubiera sido despedazado; pero en la cima del montículo de rocas, no más grande que una mesa ordinaria, se encontró arrollado durante algunos segundos por aquel feroz tumulto. Los mordiscos dirigidos contra él alcanzaron a los otros lobos. La locura de la banda se convirtió en una rabia ciega, y el asalto dirigido contra el perro degeneró en una hecatombe de fieras.

Caído de espaldas, y sintiendo la masa de carne vibrante encima, *Miki* hundió muchas veces sus colmillos en la carne de sus enemigos, aumentando los rugidos de los lobos, que entonces aullaban siniestramente. De pronto, una mandíbula feroz hizo presa en una ingle de *Miki*... Era un mordisco inexorable que se hundía en sus partes vitales, pero otro lobo, mordiendo a su vez al que mordía al perro, hizo que soltara su presa. En aquel momento, *Miki* y la mitad de sus enemigos rodaron montículo abajo.

El demonio combativo que habíase despertado en él fue substituido en el cerebro del perro por la astucia del zorro, que habíale sido más útil que sus colmillos y sus garras en aquellos largos meses de vida en el desierto. Apenas se sintió en el terreno llano, *Miki* se puso en pie y huyó, más veloz que el viento, en dirección al río. Así ganó cincuenta metros, antes de que los lobos hubiéranse dado cuenta de su fuga. Ya no quedaban más que ocho. De los trece, cinco estaban muertos o agonizantes al pie del montículo rocoso. *Miki* había matado dos. Las otras víctimas cayeron bajo los colmillos de sus compañeros.

A media milla la llanura estaba cortada a pico por el

tajo del río, y *Miki* conocía junto a la misma cornisa un refugio hecho en las rocas, por haber dormido allí una noche. Recordaba el agujero, que sería muy fácil de defender, ya que los lobos no podrían atacarle más que de uno en uno.

Pero *Miki* no había contado con el lobo feroz y terrible que se precipitaba sobre él y a quien se hubiera podido llamar *el Relámpago,* pues era el lobo más rápido y salvaje de la horda demente. Volaba delante de los otros como un dardo, y *Miki* no había franqueado aún la mitad de su camino, cuando oyó su respiración a dos metros de él. Por grande que fuera la rapidez de *Miki* — y su propio padre *Hela* no habría podido correr más —, *el Relámpago* era más veloz, y poco después su colosal morro estaba junto al lomo del perro. Con un esfuerzo desesperado, *Miki* ganó aún un poco de terreno. Pero, a pesar de todo, la sombra del enemigo galopó bien pronto de nuevo a su lado.

El refugio al que *Miki* se dirigía estaba a unos cien metros, un poco a la derecha. Pero no podía dirigirse hacia allí sin presentar su flanco a las mandíbulas de su perseguidor, y además comprendía que si llegaba al refugio, *el Relámpago* le caería encima sin darle tiempo a entrar y aprestarse a la defensa. Detenerse y presentar batalla era la muerte cierta, pues *Miki* oía a los otros lobos correr frenéticamente a unos metros de ellos. Y ya estaban a cuatro o seis segundos no más del abismo del río...

En el borde mismo del precipicio, *Miki,* haciendo un quite maravilloso, atacó a *Relámpago.* Sentía la muerte junto a sí, y una rabia feroz le lanzó sobre su enemigo. El choque les hizo rodar por el suelo, a dos metros del reborde, y *Miki* acababa de plantar sus colmillos en pleno cuello de su enemigo, cuando la banda les cayó encima.

Miki y *el Relámpago* fueron despedidos hacia delante. El suelo faltó a sus pies, y rodaron al abismo. Pero *Miki* no soltó por ello el cuello del lobo, fuertemente aprisionado entre sus colmillos feroces. La pareja volteó siniestramente en el vacío, y luego se estrelló en el lecho del riachuelo helado con un choque espantoso.

El Relámpago había caído debajo. Sin embargo, la conmoción fue tal, que *Miki,* a pesar de aquella almohada espesa de carne, quedó medio desvanecido, vacilante, paralizado... y pasó un minuto antes de que pudiera ponerse en pie. *El Relámpago* no se movía: estaba muerto. Un poco más lejos veíanse los cadáveres de otros lobos precipitados también al abismo por el ímpetu irrefrenable de su carrera.

Miki miró hacia arriba. A una gran distancia entre él y las estrellas distinguió la cima del acantilado. Olfateó los tres cuerpos uno detrás de otro. Luego, lentamente y cojeando, siguió el pie de la muralla y descubrió una hendidura entre dos grandes rocas; metióse en ella, se acostó y empezó a lamer sus heridas. A pesar de todo, había en el mundo algo peor que las trampas de Jacobo *el Hermoso,* quizá seres más malos que los hombres.

Al cabo de cierto tiempo, extendió su enorme cabezota entre sus patas delanteras. Poco a poco las estrellas le fueron pareciendo menos brillantes... la nieve menos blanca... y al fin se durmió.

CAPÍTULO XV

NETAH EL MATADOR

En una curva del Three Jackpine River, en lo más intrincado del bosque situado entre la región del Shamattawa y la bahía de Hudson, encontrábase la cabaña de Jacobo *el Hermoso,* el trampero. En toda aquella región salvaje, Jacobo no tenía rival en maldad, como no fuera un tal Durant, que cazaba zorros cien millas más al Norte, y que era el único que podía competir con él en muchos aspectos. De talla gigantesca, con una fuerza hercúlea y unos ojillos minúsculos y llenos de malicia, que parecían reflejar un alma inhumana y feroz — si podía decirse que este hombre poseía un alma —, Jacobo *el Hermoso* era un hombre de la peor especie, un desecho humano. En las cabañas y los refugios de los indios, éstos murmuraban que "todos los demonios vivían en aquel hombre infernal y malvado".

El destino, un destino lleno de sarcasmo, habíale dado

una mujer a este hombre infame. Si esta mujer hubiese sido una bruja, perversa de sentimientos y de acciones, la pareja habría sido completa. Pero no era éste el caso. Al contrario, de rostro dulce y bello, conservando en sus pálidas mejillas y en sus ojos marchitos las huellas de una belleza notable, pero temblando a su proximidad y sumisa en su presencia, la esposa de *el Hermoso* era para el trampero una cosa más, algo que le pertenecía, como la cabaña, los perros o el trineo. Esta mujer tenía una niña. Ya había perdido otro hijo. Y el pensamiento de que la pequeña muriera como había muerto su hermanito, encendía en los ojos de la mujer, de vez en cuando, una llama de odio y de horror...

—¡Yo ruego constantemente a Dios y a todos los santos y a los ángeles para que tú vivas, y tú vivirás, yo te lo juro, hija de mis entrañas! —gritaba a veces la mujer, estrechando a la pequeña contra su pecho.

En aquellos instantes, sus ojos tristes se animaban con una llama nueva y sus mejillas volvían a tomar el color de carmín de los tiempos mejores.

—Un día vendrá... un día llegará en que tú...

Y la infeliz no acababa nunca la frase. Sólo su espíritu sentía en tales momentos como una ráfaga de libertad y de dicha en un porvenir no muy lejano.

A veces, mirándose ante un pedazo de espejo, se decía que la vida es muy larga, que ella no era vieja, y se peinaba con entusiasmo su hermosa cabellera que le llegaba a la cintura. La cabellera era lo que verdaderamente testimoniaba su antigua hermosura. Pero sus ojos vivos, la tersura de su piel, indicaban que la Naturaleza le devolvería sus pasados encantos, si el destino, reparando el error de aquella boda absurda, le daba nuevamente la libertad, librándola del odioso tirano.

Aquel día estaba mirándose en el pedazo de espejo, cuando, de pronto, resonaron pisadas fuertes en la nieve.

Su rostro cambió de expresión inmediatamente. *El Hermoso*, que había salido la víspera de la cabaña, para visitar sus trampas, volvía ahora, y su regreso llenaba a la pobre y dulce mujer del temor de siempre. Dos veces habíala sorprendido mirándose al espejo, y el miserable la llenó de insultos, reprochándola por perder el tiempo en admirarse en lugar de quitar la grasa de las pieles. La segunda vez, loco de furor, había cogido el espejo, estrellándolo contra el suelo. La mujer no pudo salvar más que un pedazo de aquél, pequeño como una de sus manecitas.

No queriendo ser sorprendida de nuevo, huyó a esconder el espejo, haciendo rápidamente una trenza con su mata de pelo. Después, se volvió para darle al marido la bienvenida con una sonrisa, como hacía siempre, esperando que un día Dios le tocara al hombre en el corazón, despertando tal vez alguna dormida ternura.

El monstruo entró sombrío y silencioso, andando lentamente. Llegaba de muy mal humor. Echó a tierra las pieles que acababa de recoger en sus trampas, se las mostró con el dedo y las amenazadoras aberturas de sus ojos se empequeñecieron torvamente al mirarla.

—¡Otra vez ha pasado por mis cepos el demonio ese! —gruñó—. ¡Mira! Ha destrozado una nutria, ha robado la carne de mis cepos, ha estropeado las trampas... ¡Pero juro por mi vida que lo he de matar! Juro que lo partiré en mil pedazos con mi cuchillo de monte, y lo atraparé mañana mismo. En cuanto me des la comida, ponte a arreglar esas pieles. Arregla los agujeros de la piel de la nutria, para que el agente de la Compañía crea que ese y todos los animales han sido cazados con bala, sin emplear los cepos. ¡Diablo!, ¿no me escuchas?... ¿A qué atiendes a ese crío asqueroso cuando yo te hablo?... ¡Maldita sea!... ¡Contesta, idiota!...

Aquél fue su cariñoso saludo.

Luego arrojó sus raquetas a un rincón de la estancia, se sacudió las botas, que estaban llenas de nieve, y tomó un paquetito de tabaco de la cornisa de la chimenea.

Después salió, dejando a la mujer disponiendo la comida mientras en su hermoso rostro se dibujaba un gesto de infinita desesperación.

El Hermoso se dirigió al corral hecho con troncos de árbol donde guardaba sus perros, en el centro del cual había una cabañita de paja. El trampero se enorgullecía de poseer el más feroz atelaje de trineo que existía entre la bahía de Hudson y el Atabasca. Éste era el origen de todas sus querellas con Durant. Su mayor ambición era criar un perro que matara al *Husky* de combate que su rival llevaba cada invierno al Puesto de la Compañía, en la época de la feria. Aquel año *el Hermoso* había escogido a *Netah el Matador* para la gran riña en Lago de Dios. El día en que él comprometiera su dinero y su reputación contra Durant, *Netah* tendría veintitrés meses justos.

Y llamó a *Netah.* El perro se deslizó tras él con un profundo gruñido.

Escuchaba aquel gruñido con placer. Le gustaba ver en los ojos de *Netah* el siniestro brillo rojo, y oír el entrechocar amenazador de sus mandíbulas. Todo lo que el animal hubiera podido tener de noble en su sangre, su amo se lo había quitado a garrotazos. Los dos se parecían en que sus almas estaban muertas. Por otra parte, *Netah* era como perro un verdadero demonio. Por eso Jacobo *el Hermoso* lo había escogido y lo preparaba para el día del gran combate. *El Hermoso* le miró, y lanzando un suspiro de satisfacción, exclamó:

—¡Oh, ya estás en forma, *Netah* mío!... Veo correr la sangre en tus ojos, como en los ojos de los lobos... sí, sangre, como la que harás brotar al perro de Durant cuando le hayas hincado los dientes en la yugular. Y mañana voy a ponerte a prueba. ¡Una hermosa ocasión, vive Dios!... pues vas a habértelas con el perro salvaje que desde hace tiempo desvalija mis cepos y destroza mis nutrias. Le atraparé y tú te batirás con él hasta que esté casi muerto y entonces, vivo aún, le arrancaré el corazón, como le he prometido, y te lo daré a comer palpitante... De manera que no tendrás disculpa si te dejas vencer por el perrucho que traiga ese Durant. Si flaqueas, te mato. Sí, si dejas escapar un solo gemido, eres perro muerto.

CAPÍTULO XVI

LA BESTIA HUMANA

Aquella misma noche, *Miki* dormía a unas doce millas al Oeste, en un refugio de troncos, cerca de la línea de cepos de *el Hermoso*.

Al amanecer, al mismo tiempo que el cazador salía de su cabaña acompañado de *Netah el Matador, Miki* abandonaba su refugio luego de un sueño largo y tranquilo.

Había evocado en sueños las primeras semanas que transcurrieron a raíz de la pérdida de su amo, aquellos días felices pasados junto a *Niva*, y ahora, que estaba de pie, viendo como la luz de la aurora iba disipando las sombras, el recuerdo del osezno amado era tan intenso, que *Miki* se puso a gemir dulcemente.

Si *el Hermoso* le hubiera visto instantes después, desperezándose a los primeros rayos de un sol pálido, se hubiera quedado absorto. Porque a la edad de once meses *Miki* era un verdadero gigante de su especie. Pesaba muy bien sesenta libras, de las cuales ni una sola era de grasa. Su cuerpo era delgado y esbelto como el de un lobo. Su pecho era macizo, y sus movimientos ponían de relieve su fuerte musculatura. Sus patas semejaban las de su padre, el enorme *Hela*, de raza *Mackenzie*. Y sus mandíbulas podían triturar los huesos de un anta. De once meses que contaba, ocho habíalos pasado en la más completa soledad, y el desierto había sido escuela de dureza y de astucia. Él le había templado como el acero. Le había enseñado a luchar por su vida, a matar para no ser muerto y a emplear el cerebro antes que las mandíbulas. Era tan poderoso como *Netah*, que le doblaba la edad con mucho, y además de su fuerza poseía una astucia y una rapidez que *el Matador* no llegaría a poseer jamás. La Naturaleza le había dotado y preparado perfectamente para el instante actual.

Miki se puso en camino hacia la línea de cepos de *el Hermoso* en el momento en que el sol envolvía la selva con su fría llama. Al llegar al sitio por donde el trampero había pasado la víspera, se detuvo y olfateó con aire receloso el olor humano en las huellas de las raquetas. Se había ido acostumbrando a aquel olor, sin perder la desconfianza que le inspiraba. Repugnábale al mismo tiempo que le fascinaba. Le llenaba de un temor inexplicable, pero no podía huir de él. En aquellos últimos días había visto por tres veces a la bestia humana en persona. Y una de ellas el trampero pasó a doce o catorce metros del sitio en que él se encontraba escondido.

Aquella mañana, *Miki* se había dirigido hacia los terrenos donde estaban esparcidos los cepos de *el Hermoso.* Pululaban las liebres, que eran las que caían con más frecuencia en los *kekeks* o pequeños abrigos construidos con estacas y ramas de cedros para preservar los cepos de la nieve. Eran tan numerosos que constituían una plaga. Cada vez que Jacobo hacía su ronda, encontraba dos de cada tres cepos con liebres, inutilizados por tanto para la captura de los animales de pieles ricas. Pero donde abundan las liebres, abundan también las nutrias y los linces, por lo que *el Hermoso,* a pesar de su rabia contra los pequeños roedores, continuaba poniendo en aquellos parajes sus cepos. Ahora, además de las liebres, tenía que luchar contra el perro salvaje.

Su corazón inflamábase con una anticipación de venganza mientras caminaba a la luz del sol matinal. *El Matador* le seguía, atado con una cuerda. *Miki* estaba olfateando el primer abrigo en el momento que *el Hermoso* y *Netah* entraban en el terreno pantanoso, a tres millas al Este.

En aquel *kekek* era donde *Miki* había matado el día anterior la nutria. Ahora estaba vacío. Hasta la misma clavija del cebo había sido quitada, y no quedaba huella alguna del cepo.

Un cuarto de milla más lejos, el perro llegó a un segundo abrigo, igualmente vacío. Un poco sorprendido continuó su ruta, hasta el tercero. Pero antes de acercarse, se detuvo, olfateando el aire con mayor desconfianza.

Allí las huellas del hombre eran más nutridas. La nieve aparecía pisoteada, y el olor de *el Hermoso* era tan intenso que *Miki* creyó se encontraba éste en las cercanías. Al fin, el perro avanzó hasta mirar la entrada del abrigo de la trampa. Una enorme liebre rayada estaba en el interior, y miraba a *Miki* con sus grandes ojos redondos.

Un presentimiento de peligro contuvo a *Miki.* Encontraba un algo indefinible y extraño en la actitud de *Wapus,* la vieja liebre. No se parecía a los otros roedores que había cogido *Miki,* muertos o agonizantes en los cepos de *el Hermoso*. No se movía. Pero no estaba ni muerta ni helada, ni se balanceaba en el extremo de una estaca, como las que había visto en otros abrigos. Estaba enroscada en forma de bola, bien provista de piel, de apariencia tibia y confortable. En realidad, *el Hermoso* habíala cazado viva en el hueco de un tronco, atándola a la clavija del cebo con una tira de piel de gamo. Después de lo cual, fuera de su alcance, estableció un nido de cepos, tapándolos después con nieve.

Miki se acercó cada vez más a aquella red invisible de trampas, a pesar de que un oscuro instinto le advertía que se mantuviera a distancia. *Wapus,* fascinada por aquel lento y mortal avance, no hacía el menor movimiento y permanecía acurrucada, semejante a una esfinge de hielo.

Entonces *Miki,* de un salto, cayó sobre la liebre, cogiéndola por el cuello con sus mandíbulas enormes...

Pero en el mismo instante ocurrió algo trágico para el pobre animal: uno de los cepos ocultos saltó, cogiéndole una de las patas traseras.

Soltando a *Wapus, Miki* se volvió para morder furiosamente aquellos dientes de acero que amenazaban destrozar su pata..., pero su movimiento hizo saltar otros tres cepos: *clic, clic, clic*... Dos de ellos fallaron: el tercero, en cambio, le cogió una de las patas delanteras.

Con tanto vigor como el día anterior habíase lanzado sobre la nutria, *Miki* se abalanzó sobre aquel nuevo enemigo, frío, de acero, que acababa de sujetarle de un modo tan cruel... Pero sus colmillos chocaron en vano contra el hierro helado. No obstante, consiguió arrancar su mano de los dientes feroces del cepo, aunque quedó completamente herida, soltando un chorro de sangre que manchaba rápidamente la nieve.

En seguida se retorció desesperadamente para alcanzar la pata trasera. Pero el cepo habíase cerrado sobre ella de un modo inexorable. Lo mordió, sin embargo, hasta que la sangre brotó de su boca. Y *Miki* estaba debatiéndose enloquecido en esta lucha desigual, cuando Jacobo *el Hermoso* surgió entre una espesura de abetos a veinte pasos de distancia, llevando atado a *Netah el Matador*.

El hombre bestial se detuvo. Jadeaba, y sus ojos estaban inflamados. A doscientos metros había oído el ruido de la cadena del cepo.

—¡Oh, ya ha caído! —dijo convulsivamente apretando la cuerda del *Matador*—. ¿Le oyes, camarada de ojos sangrientos? ¡Ahí está, ahí está, ya no cabe duda!... Es ese demonio de ladrón, que tú matarás cuando yo te desate y te diga: "¡Anda con él!..."

Miki, cesando de luchar contra el horrible cepo, les miraba venir. En aquel peligroso instante no temía al hombre. Un deseo furioso de matar le hervía en las venas.

Su instinto sobreexcitado le hizo comprender inmediatamente lo que ocurría. Su enemigo era, no la cosa que le sujetaba su pata, sino aquel hombre y aquel perro. Se acordaba, como si hubiera sido el día anterior, de haber visto un hombre con un garrote en la mano. Y *el Hermoso* llevaba uno. Pero no era a él a quien el perro temía. Sus ojos vigilaban atentamente a *Netah.*

El Matador, soltado por su amo, se había erguido sobre sus patas y se acercaba lentamente a *Miki,* mientras el pelo de su espina dorsal poníasele de punta y sus músculos se distendían. *Miki* oyó la voz de la bestia humana que decía furiosamente:

—¡*Netah,* anda con él, anda con él!...

Miki esperó el ataque del enemigo sin que ni uno solo de sus músculos se moviera. La soledad y el desierto le habían enseñado estas duras lecciones: esperar, aprovechar el instante propicio, valerse de la astucia para engañar y luego matar al enemigo. Estaba agazapado con el hocico entre sus patas delanteras, un poco contraído, sólo un poco, enseñando apenas los colmillos. No lanzó ni el más leve gruñido, pero sus ojos dardeaban como dos puntos de fuego. *El Hermoso* le miraba, maravillado. Sentía una especie de admiración ingenua por aquel animal tan arrogante y magnífico. Jamás había visto ni lince ni zorro ni lobo cogido en un cepo, con aquella grandiosa actitud de *Miki.* Ni había visto tampoco ojos que relucieran como los que el perro prisionero clavaba en aquel momento sobre *Netah.* Durante un instante, contuvo la respiración.

Pasito a pasito, luego pulgada a pulgada, *el Matador* se acercaba arrastrándose. Diez pasos, ocho, seis... Y entre tanto, *Miki* no hacía un movimiento, no pestañeaba. Con un rugido de tigre, *Netah* se lanzó sobre el prisionero.

Entonces ocurrió la cosa más extraordinaria que jamás había contemplado Jacobo *el Hermoso*. Tan rápidamente que los ojos del hombre pudieron apenas seguir el movimiento, *Miki* había pasado como un rayo por debajo de *Netah,* y luego, volviéndose cuando llegó al extremo de la cadena que le sujetaba, cogió a su enemigo por el cuello antes que el cazador pudiera contar hasta diez.

Los dos perros cayeron al suelo; la bestia humana apretaba su garrote mirándolos como fascinada. Oía mandíbulas que trituraban, y comprendió que eran las del perro salvaje. Luego oyó un rugido de angustia... ¡y estuvo cierto de que provenía del *Matador!* La sangre le afluyó al rostro. El rojo brillo de sus ojos convirtióse en una llama lívida de exaltación y de triunfo.

—¡Ira de Dios! —exclamó él, jadeante—. ¡Va a estrangular a *Netah!* ¡En mi vida he visto un perro semejante!... Le guardaré vivo, para enfrentarlo con el perro de Durant en el Fuerte de Dios!... ¡Es maravilloso!...

Netah hubiera sido destrozado por su enemigo, de diferir unos segundos más su intervención en la lucha Jacobo *el Hermoso.* Pero el cazador, comprendiendo que *Netah* iba a morir, avanzó con un garrote en alto. *Miki,* mientras hundía sus colmillos profundamente en el cuello de su enemigo, vio, con el rabillo del ojo, el nuevo peligro que le amenazaba. Abriendo la boca, soltó su presa y se apartó, en el instante en que el garrote caía sobre él; pero no logró esquivar el golpe, pues le alcanzó en plenas espaldas, derribándole. Ligero como el rayo, se puso en pie, precipitándose hacia *el Hermoso.*

El francés, maestro en el manejo del palo, lanzó un segundo golpe a la derecha, alcanzando a *Miki* en plena cabeza. La sangre comenzó a brotar por boca y narices del pobre animal. Aturdido, casi cegado, se lanzó de nuevo a la carga, pero recibió un nuevo garrotazo.

Oyó el grito de feroz alegría de *el Hermoso...* y el garrote cayó tres veces más sobre él.

El hombre manejaba el palo sin reír ya, pero maniobraba con una especie de temor en los ojos. A la sexta vez, le falló el golpe, y las mandíbulas de *Miki* alcanzaron el pecho del hombre, desgarrando el espeso abrigo de astracán y la camisa, como si hubieran sido una hoja de papel, y trazando un surco sanguinolento en el tórax del cazador. Diez pulgadas más, y el perro, a no estar velada la vista por la sangre, habría alcanzado la garganta del hombre. El trampero lanzó un grito agudo. Había sentido el roce de la Muerte.

—*¡Netah, Netah!* — gritó haciendo molinete, dando vueltas desesperadas.

Netah no contestó. ¡Quién sabe si el animal, en aquel instante, comprendió que su amo había hecho de él un monstruo!... La soledad abría ante él sus puertas libertadoras. Cuando su dueño le llamó de nuevo, le vio huir a través de la nieve, dejando en su camino un rastro de sangre.

Lo más probable era que *el Matador* fuese a reunirse con los lobos, pues era un mestizo que tenía tres cuartas partes de salvaje.

El Hermoso lo entrevió solamente en el momento de desaparecer. Volteó furiosamente el garrote, fallándole de nuevo el golpe; esta vez le salvó la pura suerte, pues la cadena enganchóse y *Miki* fue precipitado hacia atrás en el instante que su ardoroso aliento alcanzaba casi la yugular del hombre. El perro cayó de costado y antes de que recobrase el equilibrio, un garrotazo le aplastó la cabeza contra la nieve.

El mundo se oscureció para el pobre *Miki.* Ya no tenía fuerzas para moverse. Extendido e inerte como un cadáver, aún oyó la voz jadeante y triunfal de la bestia humana.

Jacobo *el Hermoso,* por negro que tuviese el corazón, no pudo retener un grito de alegría, que era casi una acción de gracias, por haberse librado de la muerte habiéndola tenido tan cerca.

CAPÍTULO XVII

EL JUSTICIERO

Nanette, la mujer de Jacobo *el Hermoso*, vio aparecer a su marido por el sendero del bosque, al caer la tarde, arrastrando algo sobre la nieve.

Desde que él habíale hablado del perro salvaje, la mujer guardaba en el fondo de su corazón una secreta piedad hacia la pobre bestia. Mucho tiempo antes de nacer su segundo hijo, Nanette había tenido un perro al que profesaba gran cariño, que fue la única afección sincera que había conocido desde el día de su desdichado matrimonio.

Su marido, con bárbara crueldad, habíale arrojado de la cabaña y ella misma, a pesar de adorarlo, le había procurado el medio de que huyera a perderse en las soledades del bosque, volviendo a la vida salvaje, como el pobre *Netah*. Así es que Nanette hacía votos porque el perro que le desvalijaba los cepos a su esposo se salvara de caer en las garras del monstruo.

Al acercarse Jacobo a la cabaña, la mujer pudo ver que lo que arrastraba era una especie de angarillas hechas de cuatro ramas entrelazadas; un poco después, al descubrir su cargamento, Nanette lanzó un ligero grito de horror.

Las patas de *Miki* estaban tan fuertemente ligadas a las ramas, que el animal no podía hacer el más leve movimiento. Una cuerda que rodeaba su cuello estaba fija a uno de los travesaños, y *el Hermoso* le había improvisado un bozal de correas irrompibles. Hizo todo esto después de abatir a *Miki* y antes de que recobrase el conocimiento.

Los ojos de la pobre mujer se dilataron, y perdió por un instante la respiración, luego de haber lanzado el grito de horror. Muchas veces había visto a su marido maltratar a sus perros, pero jamás había contemplado uno en tal estado. La cabeza y la espalda de *Miki* no formaban más que una masa de sangre coagulada. Luego observó los ojos del animal, fijos en ella. Y tuvo que volverse para que el bruto de su marido no viera la expresión de su rostro.

El cazador arrastró su fardo dentro de la cabaña; después se volvió y frotó las manos mirando a *Miki* tendido en el suelo, comentando con voz de trueno:

—¡Por todos los santos del Paraíso!... ¡Quisiera que le hubieras visto estrangular a *Netah*... o poco menos! —exclamó alegremente—; sí, en menos de un abrir y cerrar de ojos. Lo cogió por el cuello..., y a mí por dos veces ha estado también a punto de matarme mientras lo abatía a garrotazos... ¡Lo que es el perro de Durant va a huir como una liebre el día que ponga yo a este animal en su presencia en el Fuerte de Dios!... ¡Es soberbio!... Míralo, Nanette, mientras yo voy a construirle un cercado para él solo. Si lo pusiera con los otros perros, los mataría a todos.

Los ojos de *Miki* le siguieron mientras se alejaba. Luego, el perro miró vivamente a Nanette.

La mujer se había acercado y se inclinaba sobre él con ojos llenos de luz. En la garganta de *Miki* se formó un gruñido que no llegó a lanzar su boca dolorida. Era la primera vez que el perro veía a una mujer. En seguida comprendió que entre la bestia humana y este nuevo ser había un abismo grande como un mundo. En su cuerpo martirizado y roto serenóse su corazón. Nanette le hablaba. Nunca *Miki* había escuchado una voz como aquélla, impregnada de dulce ternura, con lágrimas contenidas. Y de pronto, ¡oh milagro!, la mujer se puso de rodillas junto a él y acaricióle la cabeza.

Entonces, el espíritu del animal retrocedió a través de las generaciones más allá de su padre y del padre de su padre..., hasta el día lejanísimo en que corría por las venas de su raza la sangre ordinaria de un "puro perro" que jugaba con los niños..., obedecía a las mujeres y ofrendaba en el altar de la Humanidad.

Y he aquí que la mujer corría hacia la estufa, volvía con un cacharro de agua caliente, un trapo suave, y le lavaba la cabeza y las heridas..., sin cesar de hablarle en aquel lenguaje tan dulce, con aquella voz de oro... llena de ternura y de piedad.

Miki cerró los ojos, sintiendo que todos sus temores

desaparecían ante aquella dulcísima caricia inesperada, y un profundo suspiro se escapó de su pecho. Hubiera querido lamer las manos bondadosas que le procuraban aquel bienestar infinito.

Entonces ocurrió la cosa más extraña de todas: la nena se sentó en la cuna y comenzó a balbucear. Era una nota tan nueva para *Miki* aquel gorjeo de la primavera de la vida, que le hizo vibrar con un estremecimiento sin precedente. Abrió asombrado los ojos y se puso a gemir. La risa de una alegría inusitada que la sorprendió a ella misma, subió a la garganta de la joven mujer. Corrió a la cuna y volvió con la nena en brazos, arrodillándose de nuevo ante *Miki*. La niña, a la vista de aquel extraño juguete tendido en el suelo, extendió sus bracitos, agitó sus piececillos calzados con abarcas minúsculas, palmoteó, rió y brincó con tanto entusiasmo, que *Miki*, haciendo un gran esfuerzo, movióse entre sus ligaduras, hasta acercarse a aquella maravillosa criatura y tocarla con el morro. El perro olvidaba sus sufrimientos: ya no sentía la tortura de sus mandíbulas martirizadas y rotas, ni el entorpecimiento de sus patas oprimidas y heladas. Todos sus instintos estaban concentrados en aquellos dos seres. La mujer, en aquel momento, era algo bello, algo hermoso que alegraba los ojos, pues tenía en su rostro la luz de la *comprensión*, y su corazón generoso latía en su pecho, olvidándose del bruto de su marido. Sus ojos brillaban con la dulzura de las estrellas.

Las pálidas mejillas de la mujer se habían coloreado y, sentando a la nena en tierra, continuó curando a *Miki* con el trapo mojado en agua tibia. El cazador, si hubiese tenido algo de humano, habría adorado profundamente a su mujer, verdadera imagen en aquel momento de la maternidad, dulce y generosa, a aquel ángel de piedad arrodillado junto al pobre animal herido...

El Hermoso entró con tanto sigilo, que la mujer no oyó sus pasos, continuando entregada a su noble tarea, mientras de sus labios brotaban dulces palabras de consuelo entrecortadas de risas parecidas a sollozos, mientras la niña balbuceaba y se movía en la excitación de aquellos minutos de respiro. Los gruesos labios de *el Hermoso* se dilataron en una sonrisa bestial, lanzando una horrible blasfemia.

Nanette se sobresaltó como si hubiese recibido un golpe.

—¡Levántate de ahí, bestia loca! —ordenó luego el tirano, de un modo brutal.

La mujer obedeció, retrocediendo con su nena en brazos.

Miki vio aquel cambio de actitud... Y al distinguir de nuevo al *Hermoso*, un fulgor verdusco animó sus pupilas y un profundo rugido de lobo subió a su garganta.

El Hermoso avanzó hacia Nanette. El brillo de los ojos de la esposa y el carmín de sus mejillas no habían desaparecido completamente. Estaba en pie, apretando a la niña contra su pecho. Su hermosa trenza de cabellos le caía sobre la espalda, brillando como el terciopelo... a la luz del sol poniente que se filtraba por la ventana. Pero *el Hermoso* nada veía de todo aquello.

—Si es que te has propuesto hacer de este perro salvaje un gatito doméstico como hiciste con *Minu*, la perra de raza, te...

No acabó la frase.

Pero sus manazas se cerraron convulsivamente, al tiempo que en sus ojos brillaba una llama de cólera feroz.

La mujer comprendió. Había recibido muchos golpes de su marido, entre ellos uno cuyo recuerdo no se borraría jamás de su mente. Si alguna vez pudiera llegar hasta el Fuerte de Dios, contaría al factor de la Compañía cómo su esposo, en una ocasión, estando amamantando a su primer hijo, le dio tan terrible golpe en el seno que su hijito de dos años murió. Tenía el firme propósito de contar esto cuando se sintiera con su nueva nena al abrigo de la venganza del bruto. Sólo el factor, el agente principal de la Compañía, que vivía a cien millas de distancia de allí, era lo suficiente poderoso para salvarla.

Felizmente, *el Hermoso* no pudo leer lo que pasaba entonces por el cerebro de su mujer. Luego de haberle dado este aviso *amistoso*, arrastró a *Miki* fuera de la cabaña, hacia un cercado de estacas donde el invierno pasado había tenido en cautividad dos zorras vivas.

Ató una cadena de diez pies de largo a su cuello y fijó la extremidad de ésta a uno de los postes de la cerca, antes de arrojar a su prisionero en la jaula y de cortar las ligaduras.

El perro permaneció algún tiempo echado, inmóvil, esperando a que la circulación se restableciera lentamente en sus miembros anquilosados y casi helados.

Cuando, al fin, se enderezó sobre sus patas vacilantes, *el Hermoso* rió jovialmente, y volvió a la cabaña.

A partir de entonces, se sucedieron numerosos días de infernal tortura para la pobre bestia, de una lucha constante y desigual entre la potencia del bruto y el espíritu del perro.

—Te domaré, ¡por Cristo!, te domaré —repetía incesantemente *el Hermoso,* cada vez que llegaba, con el garrote o el látigo en la mano—. Yo te domaré, y haré que te arrastres a mis pies..., y cuando yo te diga que te batas, te batirás.

La cerca era pequeña, tan pequeña que el pobre *Miki* no podía evitar que le alcanzase el garrote o el látigo... Aquello lo volvió loco durante algún tiempo... y el alma vil de *el Hermoso* desbordaba de alegría cuando le veía abalanzarse sobre los barrotes de madera verde y lacerarlos con sus dientes, babeando una espuma sanguinolenta como un lobo furioso... Hacía veinte años que *el Hermoso* criaba perros de combate, y siempre seguía este procedimiento. Así había domado a *Netah,* que al oír su voz acudía arrastrándose hasta lamerle los pies.

Por tres veces, desde la ventana de la cabaña, Nanette presenció aquellas horribles luchas entre el perro y el hombre. La tercera vez hundió el rostro entre las manos y lloró. Cuando *el Hermoso* entró y la vio llorando, la arrastró hasta la ventana, obligándola a que mirara de nuevo a *Miki,* que yacía ensangrentado y medio muerto en su jaula. Era una de las mañanas en que el cazador salía a visitar sus trampas, y no volvía jamás hasta el día siguiente al caer la tarde. Apenas estuvo fuera, Nanette corrió hacia la cerca donde yacía el desdichado perro herido.

Entonces *Miki* olvidaba a su verdugo. Martirizado a veces hasta el punto de que apenas veía ni se sostenía en pie, arrastrábase hasta los barrotes de la jaula y lamía las dulces manos... que Nanette le entregaba sin temor. Al cabo de algún tiempo, la mujer tomó la costumbre de llevar también a la nena, abrigada como un pequeño esquimal. *Miki* gemía de contento, meneando expresivamente la cola ante los dos seres queridos.

En la segunda semana de la cautividad de *Miki*, sobrevino el incidente más delicioso. El cazador había salido, y fuera silbaba una ráfaga de nieve a la cual Nanette no se atrevió a exponer a la pequeña, dirigiéndose a la cerca de *Miki*. Con el corazón palpitante, le abrió la puerta y lo llevó a la cabaña.

¡Ah, si su esposo se enterara de que había hecho aquello!...

Esta idea la hizo estremecer. Desde entonces, sin embargo, se llevó con frecuencia al perro a la cabaña.

Un día, su corazón estuvo a punto de dejar de latir. Su esposo descubrió unas gotas de sangre en el suelo de la cabaña, sobre las tablas, al tiempo que le lanzaba una mirada oblicua, llena de recelo.

Nanette inventó una mentira:

—Es que me he cortado — dijo.

Y un instante después, volviéndole la espalda, se cortó realmente. Cuando *el Hermoso* le miró las manos, le vio envuelto un dedo en un trapo manchado de sangre. En lo sucesivo Nanette tuvo buen cuidado de inspeccionar el suelo cada vez.

Aquella cabaña, con la mujer y la niña que la habitaban, se convirtió en un paraíso cada vez más delicioso para *Miki*. Una vez, Nanette se arriesgó a retener el perro toda una noche. Echado junto a la cuna, *Miki* no dejaba de mirar a la que ya consideraba como su ama, con sus grandes ojos dulces y sumisos. Ya muy tarde, la mujer se dispuso a acostarse. Se puso una larga y suave camisa de noche y luego, sentándose junto a *Miki*, al lado de un alegre fuego, deshizo su cabellera y se peinó para dormir, mientras exponía al dulce calor sus lindos pies breves y blancos. Era la primera vez que el perro la veía envuelta en aquel nuevo y maravilloso manto que caía sobre su espalda y su pecho hasta tocar casi el suelo, con reflejos de cascada; el olor era tan penetrante y grato que el perro se acercó más a ella arrastrándose, y dejó escapar un leve gemido cariñoso.

Luego la mujer se hizo dos grandes trenzas, y antes de apagar la luz hizo todavía otra cosa más curiosa:

cogió un crucifijo y, arrodillándose, oró largo rato en silencio. El animal no podía comprender que imploraba la protección divina para su hijita, la pequeña Nanette acostada en su cuna.

En seguida, cogió a la niña, la meció en sus brazos y la echó en su propia cama; luego apagó la luz y se acostó.

Durante toda aquella noche, *Miki* se abstuvo de hacer el más leve ruido que pudiera despertarlas.

A la aurora, cuando Nanette abrió los ojos, encontróse a *Miki* con la cabeza apoyada en el lecho donde ellas dormían.

Aquella mañana, mientras preparaba el desayuno, un extraño sentimiento conmovió el corazón de Nanette y la incitó a cantar. Su marido no debía volver hasta la noche, y jamás se hubiera atrevido a decirle lo que iba a hacer con la niña y el perro. Aquel día era su cumpleaños. Cumplía veintiséis, pero le parecía haber vivido dos vidas larguísimas... ¡Había pasado ocho de aquellos años junto al infame Jacobo!... Pero ellos tres iban a festejar el suceso. Durante toda la mañana, con las risas de la niña y el canto de la madre, la cabaña estuvo llena de un nuevo espíritu, de una felicidad cándida y pueril.

Hacía muchos años, antes de conocer ella a Jacobo, los indios que vivían en el *Water found* habían llamado a Nanette *Tanta Penaski,* lo que significaba el *pajarillo,* a causa de la maravillosa dulzura de su voz. Y aquella mañana, Nanette cantaba preparando su comida de fiesta. El sol entraba a raudales por las ventanas. *Miki* movía la cola y gruñía de satisfacción. La chiquitina cantaba y reía, y el bruto era olvidado... Nanette, en aquellos instantes de inconsciencia, volvía a parecer una hermosa joven, como en los tiempos en que Jackpine, el viejo *cree* muerto ya, decíale que era *la hija de las flores.*

Al fin, la comida extraordinaria estuvo lista y, con gran contento de la nena, Nanette invitó a *Miki* a que se sentara a la mesa en una silla, junto a ellas.

Él se sentó en una estúpida postura, adoptando un aire tan bobalicón que Nanette se retorcía de risa hasta el punto de humedecerse sus largas y negras pestañas; y como *Miki,* muy avergonzado, descendiera furtivamente de la silla, ella corrió hacia él, le rodeó el cuello con sus brazos y, a fuerza de razonarle, hízole volver a su sitio.

Así pasó la jornada hasta media tarde.

Después Nanette hizo desaparecer todas las huellas de aquella fiesta y encerró a *Miki* en su cercado.

Y fue suerte que se anticipara a llevarse al perro, porque apenas había acabado de hacerlo cuando *el Hermoso* apareció en la plazoleta acompañado de su camarada y rival Durant, que vivía en el límite de las Tierras Malditas, más al Norte.

Durant, luego de haber enviado su equipo hacia el Fuerte de Dios, con un indio, habíase desviado hacia el Sudoeste con un trineo y dos perros para hacer una visita de un día o dos a uno de sus primos y, al regresar hacia el puesto, encontró a Jacobo en su línea de trampas.

Eso, al menos, fue lo que *el Hermoso* contó a su mujer, que, a pesar de estar acostumbrada a la fealdad de su marido, encontraba a Durant monstruoso. Era, en efecto, otro gigante, de rostro innoble y fuerza de Hércules. Y la dulce Nanette se sintió aliviada cuando los dos hombres abandonaron nuevamente la cabaña.

—Ahora — dijo Jacobo a su huésped — voy a enseñarle a usted el perro que destino para el combate de este año. Estoy seguro que matará a su perro lobo como si fuera una liebre. Venga usted.

Y cogió el garrote y el látigo.

Aquella tarde, el pobre *Miki* recibió un verdadero diluvio de estacazos, de latigazos. Brincaba, aullaba y saltaba en el interior de su cerca como un lobo enloquecido, y tal era su fuerza y su aspecto aterrador que Durant, espantado, comentó entre dientes:

—¡Dios mío, es un demonio!

Por la ventana, vio Nanette lo que estaba haciendo el miserable de su marido y lanzó una exclamación de angustia. Con la rapidez de una llama sintió despertarse lo que durante tantos años *el Hermoso* había ahogado en ella: su feminidad triunfante al fin e impávida; su alma, libre de sus cadenas; su energía, su fe, su valor...

Dejó la ventana, corrió a la puerta, saltó sobre la nieve hasta el cercado y, por primera vez en su vida, atacó e insultó al bárbaro Jacobo con el odio reconcentrado de tantos años de martirio.

Cogiendo con todas sus fuerzas el brazo con que su marido golpeaba a *Miki*, gritó, enfurecida:

—¡Bruto, bestia! ¿Por qué haces esto?... ¡Sí, bestia, bestia!... Soy yo la que te lo dice, ¿me oyes? ¡Y esto se va a acabar!...

Jacobo se quedó paralizado de sorpresa, de asombro. No podía creer que aquélla fuese Nanette, su esclava. ¿Era aquella maravillosa criatura de ojos centelleantes y desafiadores, con una expresión que jamás había visto en el rostro de una mujer?... ¡No, no era posible!...

Una rabia loca desbordaba de su corazón, y de un simple revés de su brazo de gigante la rechazó tan brutalmente que cayó sobre la nieve.

Luego, lanzando una terrible blasfemia, levantó la barra de hierro que cerraba la jaula.

—¡Lo voy a matar!, ¿lo oyes tú, imbécil?... Lo voy a matar ahora mismo... y te haré comer su corazón palpitante, ¿lo oyes?... ¡Yo mismo te lo meteré en la garganta! Yo te...

Tiró de *Miki* por su cadena y levantó su garrote en el preciso instante en que la cabeza del pobre animal surgía por la puerta de la cerca. Nanette, con la rapidez del rayo, se interpuso entre el hombre y el perro, y el golpe se desvió. Entonces, el bruto la golpeó con su puño, alcanzándola en un hombro y haciéndola rodar brutalmente dentro del cercado de *Miki*. El bruto se lanzó sobre ella y la agarró por su espesa y sedosa cabellera.

Y entonces...

Durant lanzó un grito advirtiendo a su amigo del peligro, pero ya era tarde: *Miki,* como un dios vengativo, saltó hasta el extremo de su cadena y cogió al *Hermoso* por la garganta. Nanette oyó el crujido y vio con sus desfallecidos ojos el horrible espectáculo. Extendió los brazos como una ciega, se levantó penosamente y miró de nuevo sobre la nieve. Después, dando un grito terrible, se dirigió titubeando hacia la cabaña.

Cuando Durant se vio con bastante valor para librar al *Hermoso* de las acometidas de *Miki,* éste no hizo el menor movimiento para molestarle. Acaso también esta vez el Espíritu Bienhechor le decía que había cumplido con su deber. Entró en su jaula, se echó, y observó los ademanes y gestos de Durant.

Y éste, mirando la nieve manchada de sangre y el cadáver, volvió a repetir en voz baja:

—¡Dios mío! ¡Es un demonio!...

En la cabaña, Nanette estaba arrodillada ante su crucifijo.

CAPÍTULO XVIII

UN NUEVO DIOS DE ODIO

En ciertas circunstancias la muerte es un golpe, pero no una amargura.

Tal fue el caso para Nanette. Había visto el fin horrible de su marido, pero su alma sensible no podía llorarle ni desear que estuviera con vida. La justicia que Dios le reservaba para más tarde o más temprano se había cumplido, y por amor a su hijita más aún que por el suyo propio, Nanette no lo sentía. Durant, cuya alma no valía mucho más que la del muerto, no esperaba una oración ni le preguntó lo que pensaba hacer. El hombre hizo un hoyo en la tierra helada y dura y enterró el cadáver apenas enfriado. Nanette presenció la escena sin conmoverse. El bruto se había ido para siempre; ya no la golpearía más.

Y, por la niña, dio gracias a Dios.

Miki seguía inmóvil en el fondo de su jaula. Ni siquiera había gruñido cuando Durant se llevó el cadáver de su verdugo. Una horrible opresión habíase apoderado del pobre animal.

No pensaba en las brutalidades sufridas, ni en la muerte que *el Hermoso* estuvo a punto de infligirle con su garrote; no sentía el dolor de sus miembros martirizados, de sus mandíbulas ensangrentadas y de sus ojos cruzados a latigazos. Sólo pensaba en Nanette.

¿Por qué había huido ella lanzando aquel grito horrible cuando él mató a la bestia humana?... ¿No había sido aquel hombre odioso el que la había arrojado a tierra y cuyas manos estaban anudadas alrededor de su blanca garganta cuando él, saltando al extremo de su cadena, le cortó la yugular?

Entonces... ¿por qué la mujer había huido, por qué no volvía?...

Miki se puso a gemir dulcemente.

Caía la tarde, y la oscuridad prematura de las noches de pleno invierno en los países del Norte comenzaba a espesarse sobre las selvas. En aquella penumbra apareció la sombría faz de Durant entre los barrotes de la prisión de *Miki*. El perro tenía la misma instintiva aversión por el cazador de zorros que por el mismo *Hermoso*, pues, tanto de rostro como de corazón, eran hermanos en bestialidad. Sin embargo, no gruñó viendo a Durant mirarle; ni siquiera se movió.

—¡Oh, el demonio! —exclamó el hombre estremeciéndose.

Luego se echó a reír. Era una risa canalla, odiosa, a medias ahogada en su ruda barba negra, que hizo correr un extraño escalofrío por las venas de *Miki*.

Durant volvió la espalda y penetró en la cabaña.

Nanette se puso en pie para recibirle. Sus grandes ojos negros brillaron en su rostro, de una palidez mortal. No se había aún repuesto de la emoción de aquella muerte trágica, y, sin embargo, ya había en sus pupilas como una resurrección que extrañó al hombre...

La contempló con asombro, de pie ante él, con su hija en brazos.

Le parecía otra mujer. Sentíase molesto. ¿Cómo unas horas antes había podido él reír groseramente cuando el marido le lanzó en su presencia las más viles injurias? ¿Y por qué ahora no podía sostener su tranquila mirada? ¡Dios, no había notado lo hermosa que era!...

Haciendo un gran esfuerzo sobre sí mismo, anunció el objeto de su visita:

—Supongo que usted no querrá, naturalmente, conservar ese perro... Así es que me lo voy a llevar.

Nanette no contestó. Apenas respiraba, mirándole. Parecióle a él que ella esperaba sus explicaciones, y tuvo una inspiración repentina.

—¿Sabe usted? En el Carnaval de Año Nuevo iba a

haber un gran combate entre su perro y el mío en el puesto del Fuerte de Dios... —continuó—. Por eso, Jacobo... su marido, se trajo el perro salvaje. Y cuando yo vi a ese *ucheune,* a ese lobo-demonio, destrozar los barrotes de su jaula comprendí que mataría a mi perro como una zorra mata a una liebre. Así es que hicimos un trato: yo le compré el perro por las dos pieles de *renard* rayado y las diez de *renard* rojo que tengo ahí fuera.

La verosimilitud de la mentira le daba aplomo. Además, afortunadamente, no estaba allí Jacobo para desmentirle.

—De modo que el perro es mío —concluyó Durant con aire de triunfo—. Voy a llevármelo al Puesto y le haré combatir contra no importa qué perro o lobo de todo el Norte. ¿Quiere usted que vaya por las pieles, señora?...

—El perro no se vende —repuso al fin Nanette con un brillo de energía en los hermosos ojos—. El perro es de mi hijita y mío. ¿Ha comprendido usted, Enrique Durant?... ¡No se vende!

—Sí, sí —dijo al fin el cazador, confundido.

—Y cuando llegue usted al Puesto —continuó la mujer— contará usted al factor lo que ha ocurrido, y le dirá usted que mande alguien a buscarme. Hasta entonces, permaneceremos aquí.

—Sí, sí —repitió Durant, retrocediendo hasta la puerta.

Nunca la había visto con aquel aspecto de valentía y de decisión. No comprendía cómo Jacobo había podido injuriarla y golpearla, pues él le tenía miedo. De pie, con sus hermosos ojos negros relucientes, en traje de túnica y su cabellera deshecha, le recordaba un cuadro de la Madona.

Salió de la cabaña, y volviendo hasta la cerca de *Miki,* se puso a hablar dulcemente al perro a través de los barrotes.

—¡Bueno —le dijo—, ella no te quiere vender!... Quiere conservarte a su lado, porque te has batido por ella y has matado a su marido, al que debía de odiar... pero yo me las arreglaré para que te vengas conmigo. Pronto va a salir la luna: vendré y te echaré al cuello un nudo corredizo con el extremo de un palo y te sofocaré tan aprisa que ella no te oirá. Como voy a dejar abierta la puerta de la cerca, todo el mundo creerá que has huido al bosque de nuevo. ¡Y luego te batirás en el Puesto y vencerás!... ¡Dios mío, qué bien vas a batirte!...

Se marchó hasta el sitio donde, en el lindero del bosque, había dejado su pequeño trineo y sus dos perros esperando que saliera la luna.

Miki seguía inmóvil. En la ventana de la cabaña había aparecido una luz, y el perro la miraba ardientemente, esperando la dulce aparición...

Su mundo entero estaba concentrado en aquella ventana. La mujer y la niña habían borrado en su cerebro y en su espíritu, que tendía a la dulzura, todas las ideas y los recuerdos antiguos.

Nanette, en la cabaña, pensaba en *Miki* y en Durant. Recordaba las palabras que acababa de decirle el cazador: "Supongo que no querrá usted conservar ese perro!..." Todos le dirían lo mismo, hasta el factor, cuando conocieran la historia. ¡Que ella no quería guardar al perro! ¿Y por qué no, puesto que por defenderla había matado a su marido, puesto que le había librado del yugo del bruto? ¡Oh! ¡Dios había hecho el milagro: para que su nena no muriese como su primer hijo, de una patada!... ¡Sí, fue el gran Dios, el Dios dulce de las mujeres y de los niños el que hizo el milagro!... Y recordaba, sobre todo, una frase que le dijo un día:

—Es un demonio, pero no es hijo de los lobos. No; hará más o menos tiempo, pero debe de haber pertenecido a un blanco.

¡El perro de un blanco!...

Su alma vibró de nuevo a la idea de que la pobre bestia había conocido en otra época el afecto de un blanco, como también ella había conocido una infancia en la que se abrían las flores y cantaban los pájaros. Intentó acordarse de otros detalles, pero no podía vislumbrar el ser anguloso que fue *Miki*, cuando descendió del extremo Norte con Challoner; ni su extraña camaradería con *Niva*, el osezno negro; ni la tragedia de su caída en la catarata, que les había conducido hacia las grandes aventuras, transformándolos en un oso adulto y en un perro salvaje... Sin embargo, la mujer tenía la intuición de lo que no podía ver. Y pensó que debía recoger a *Miki* no como un perro vagabundo y peligroso, sino como un enviado del cielo para libertarla.

Se levantó silenciosamente para no despertar a la niña, que dormía en la cuna, y abrió la puerta. La luna elevábase sobre la selva y, a su claridad, se acercó a la jaula. Oyó el gemido de alegría del perro, después sintió la cálida caricia de su lengua en las manos, que ella había pasado entre los barrotes.

—¡No, no, tú no eres un demonio! —exclamó con voz contenida y temblorosa—. ¡Oh, mi *soketao!*... Yo he rezado y tú has venido a libertarme... La Santa Virgen ha oído mis súplicas de que velara por mi hijita. *¡Y tú has venido!*... ¡Y el Dios de bondad no envía nunca demonios en respuesta a una plegaria! ¡No, jamás!...

Miki, como si comprendiera sus palabras, apoyaba en las manos suaves de la mujer su cabeza ensangrentada y dolorida.

Desde el lindero del bosque, Durant observaba aquella escena. Había visto un rayo luminoso escaparse por la puerta y a Nanette aproximarse a la jaula, no perdiéndola de vista hasta que volvió a la cabaña. Se rió y se puso a terminar el lazo que había de fijar al extremo de una larga pértiga. Aquel nudo corredizo y su propia astucia le ahorraban doce hermosas pieles de zorro. Empezó a canturrear junto a la hoguera que había encendido, pensando en lo fácil que era engañar a una mujer... Nanette había cometido la idiotez de rechazar las pieles, y Jacobo... estaba muerto.

La fortuna le favorecía: se llevaría el perro sin costarle nada y ganaría muy buenos dineros apostando por *Miki* en el combate del Puesto.

Esperó a que la luz de la cabaña se apagase antes de aproximarse a la jaula. *Miki* le oyó y hasta le vio venir a bastante distancia, pues ya la luna iluminaba como en pleno día.

Durant conocía bien el carácter de los perros y usaba con ellos la superioridad de su razón, no como *el Hermoso*, que sólo utilizaba el látigo o el palo. Avanzó, pues, franca y audazmente y, como por azar, dejó caer el extremo de su pértiga entre los barrotes.

Con las manos puestas contra la jaula, y sin temor aparente, se puso a hablar en tono habitual. *Miki* le vigiló atentamente un rato y después miró hacia la ventana, actualmente oscura. Durant procuraba con astucia aprovechar aquel respiro. Insensiblemente adelantó el extremo de la pértiga hasta que el terrible nudo corredizo quedó colgando sobre la cabeza del perro, que, insensibilizado por el frío, no sintió apenas la cuerda que se liaba al cuello... De pronto Durant se echó violentamente hacia atrás y el perro tuvo la sensación de que un gigantesco cepo de acero se cerraba sobre su garganta. La respiración le faltó instantáneamente. En sus esfuerzos frenéticos por libertarse, *Miki* no pudo proferir ni el más leve gruñido.

El hombre tiró y tiró, de tal manera que poco después *Miki* cayó al suelo, como muerto.

Durant le ató entonces rápidamente el morro, dejó la puerta de la cerca abierta, y llevó el perro desmayado, en sus brazos, hasta el trineo. Nanette creería así que el perro se había escapado.

Su plan no era el de reducir a *Miki* a la esclavitud a fuerza de golpes; este método le había resultado demasiado malo al *Hermoso,* y él era más avisado. A pesar de sus maneras rudas y despiadadas, conocía ciertos fenómenos de la mentalidad animal.

Estaba muy lejos de ser un psicólogo; sin embargo, su brutalidad no le cegaba por completo. Así, en lugar de atar fuertemente a *Miki,* como había hecho *el Hermoso* en su trineo improvisado, Durant se decidió a tratar bien a su cautivo, cubriéndolo con una tibia manta antes de emprender su viaje hacia el Este. No obstante, se aseguró de que el improvisado bozal no tenía defecto y de que el extremo de la cadena que aún llevaba *Miki* al cuello estaba sólidamente fijo a la barra de dirección del trineo.

Tomadas estas precauciones, Durant emprendió la marcha hacia el Fuerte de Dios.

Si Jacobo *el Hermoso* hubiera podido verle en aquel momento, habría adivinado fácilmente la causa de su exaltación. En virtud de su origen y de su nacimiento, Durant era ante todo un jugador, y después un trampero. Tenía sus cepos para tener el placer de arriesgar sus beneficios, y hacía seis años consecutivos que ganaba regularmente en el gran combate de perros del Puesto. Sin embargo, aquel año no estaba tranquilo más que a medias. No era de Jacobo *el Hermoso* ni de *Netah* de quienes él tenía miedo, sino del mestizo confinado en las orillas del Red Belly Lake. Se llamaba *Grouse Piet*, y el perro que él debía llevar al combate era un semilobo. He aquí por qué Durant, en el loco ardor de su deseo, había llegado a ofrecer dos pieles de zorro rayado y diez de zorro rojo, es decir, el precio de cinco perros por un solo animal salvaje. Ahora que lo tenía por nada y que Nanette tenía doce pieles menos, se sentía feliz, pues poseía un rival de primer orden que oponer al semilobo de *Grouse Piet*, e iba a arriesgar su dinero y su crédito hasta el último límite.

Cuando *Miki* recobró sus sentidos, Durant, que esperaba aquel instante con ansiedad, detuvo sus perros. Inclinóse sobre el trineo y comenzó a hablarle en un tono de despreocupada camaradería, dándole luego con la mano enguantada varios golpecitos cariñosos en la cabeza.

Aquello era una novedad para *Miki*. Comprendía perfectamente que aquella mano no era la de Nanette, sino que pertenecía a una bestia humana. Por otra parte, el suave calor de su nido, hecho con una manta, sobre la cual Enrique había extendido una piel de oso, parecíale igualmente insólito.

Antes él estaba rígido y helado; actualmente sentía calor y estaba a gusto, así es que no hizo el menor movimiento, y Durant se felicitaba por su destreza.

El cazador detuvo su trineo a seis millas de distancia de la cabaña de Nanette, y encendiendo un gran fuego asó carne e hizo café. El perfume de aquel banquete suculento llegó hasta las narices de *Miki*, que comenzó a relamerse. Durant ató a los dos perros de tiro a cincuenta pasos de distancia; pero dejó el trineo junto al fuego y observaba el efecto que producía en *Miki* el aroma del asado.

Desde su infancia, cuando acompañaba a Challoner, *Miki* no había percibido semejante perfume.

Durant esperó, sin embargo, un cuarto de hora...

luego dio uno de los enormes trozos de carne asada a *Miki,* que lo devoró glotonamente.

¡Enrique Durant era un hombre hábil!...

CAPÍTULO XIX

EL *USKE-PIPUNE*

Durante los últimos días de diciembre, todas las pistas, en una extensión de diez millas cuadradas, convergían hacia el Puesto de Fuerte de Dios. Se estaba en vísperas de la fiesta del Carnaval, llamado por las gentes del desierto helado el *Uske-Pipune,* fiesta tan impacientemente esperada por las mujeres y los niños como por los hombres.

La compañera del trampero no tiene vecinas. La línea de cepos de su marido es un pequeño reino inviolable donde ningún ser humano vive en varias millas a la redonda. Así es que el *Uske-Pipune* es una época de fiestas para las mujeres; para los niños representa el gran circo, y para los hombres es la recompensa a las fatigas de la caza, a las noches interminables pasadas sobre la nieve, a los peligros de la lucha con las fieras... y la ocasión para vender las pieles y divertirse.

Durante estos días, se vuelve a ver a los amigos, se hacen nuevas amistades, y cada cual se entera de los fallecimientos, de las bodas, de los bautizos, de todas las novedades del desierto helado, entre las cuales siempre hay notas y detalles horribles de tragedias..., o de incidentes cómicos que hacen reír a las gentes.

Por primera y última vez durante los siete meses que dura el invierno, la gente forastera de las chozas y de las cabañas de cerca y de lejos "van a la ciudad". Indios y mestizos, blancos y de sangre mezclada, toman parte en la fiesta sin distinción de razas ni de creencias.

Aquel año el *Uske-Pipune* iba a ser particularmente lucido y festejado. Se proyectaba asar antas enteras.

Cuando Durant llegó a doce millas del Puesto, encontró las pistas llenas de gente, de hombres y de perros que venían de todos los puntos cardinales. Se había anunciado la llegada de más de cien trineos, conducidos por trescientos hombres con sus mujeres y sus hijos, y tirados por más de quinientos perros.

Durant llegaba con un día de retraso al término de su viaje. En la tarde del tercer día de marcha, luego de haber abandonado la cabaña de Nanette, se dirigió a la de un tal André Ribon, que era el proveedor de carne fresca para el factor y las gentes del Puesto. André comenzaba a inquietarse ya por la tardanza de su amigo, pero aún esperaba su vuelta. Allí era donde el indio de Enrique Durant había dejado su perro de combate, el gran *Husky*. Y allí fue donde Durant dejó encerrado a *Miki*. Luego los dos hombres se dirigieron al Puesto, que estaba a una milla escasa de distancia.

Aquella tarde no volvieron, y la cabaña permaneció vacía.

Al caer la noche, *Miki* oyó un tumulto lejano, pero que iba siempre en aumento. Era el ruido, el estrépito de la fiesta de Carnaval, mezcla fantástica de voces humanas y de los aullidos de un centenar de perros.

Nunca había oído nada semejante y escuchó largo tiempo sin moverse. Luego se puso de manos en la ventana. La cabaña estaba construida en la cima de un montículo que dominaba el lago helado y, a lo lejos, por encima de los árboles de la orilla, *Miki* vio en el cielo el reflejo de veinte o treinta enormes hogueras de campamento.

Lanzó un gemido y cayó sobre sus cuatro patas. Se hacía muy largo esperar el día siguiente, pero aquella prisión era más confortable que la jaula de *el Hermoso*.

Toda la noche estuvo turbado por las visiones de Nanette y de la niña.

Era cerca de mediodía cuando por fin volvieron Durant y Ribon; traían carne fresca, de la que *Miki* devoró su parte con gran apetito. Luego pasó otra noche en la cabaña.

Al día siguiente, Durant y Ribon volvieron muy temprano. Traían consigo una pequeña jaula, de unos cuatro pies cuadrados, cuya puerta levadiza aplicaron a la de la cabaña. Después atrajeron a *Miki* a la jaula por medio de un gran trozo de carne, y cuando el perro entró en la jaula, la puerta de barrotes cayó, dejándolo prisionero. La jaula estaba ya atada sobre un gran trineo, y apenas salía el sol cuando *Miki* partió para el Fuerte de Dios.

Era la gran jornada del Carnaval, el día del asado de anta y del combate de perros. Mucho antes de llegar al Puesto, el perro oyó la creciente algarabía que le intrigaba. Se irguió, adoptando una actitud alerta, sin hacer caso de los dos hombres que le conducían. Miraba hacia delante, y Durant lanzó un grito de júbilo oyéndole gruñir y rechinar los dientes.

—¡Oh, cómo va a batirse! —exclamó, riendo.

De pronto, al dar la vuelta a un recodo del camino que bordeaba el lago, apareció el Fuerte de Dios. *Miki* se quedó absorto, paralizado. Hasta entonces su mundo no había contenido más de media docena de bestias humanas. Y he aquí que, de pronto, aparecían ante sus ojos cien, doscientas, trescientas...

En cuanto apareció Durant con su jaula, una multitud enorme se precipitó hacia él, y por todas partes había también lobos, tan numerosos que él los veía como en un deslumbramiento, fija la mirada. Su jaula, mientras la arrastraban remontando la pendiente, era el centro de una horda gritadora y gesticulante de hombres y de niños, a la que comenzaban a unirse las mujeres, muchas de las cuales llevaban pequeñines en los brazos.

Al fin, el pobre *Miki* llegó al término de su viaje. Estaba cerca de otra jaula, en la que se encontraba encerrada otra bestia parecida a él. Al lado estaba un gran mestizo, de tez bronceada, de crespa cabellera, semejante a un pirata. Era *Grouse Piet,* el rival de Durant.

Una mueca de desdén plegó sus gruesos labios cuando vio a *Miki.* Luego, volviéndose al grupo de indios y de mestizos que le rodeaba, pronunció unas cuantas palabras que promovieron una risa gutural.

Durant enrojeció.

—Reíd, animales —exclamó en tono de desafío—, pero no olvidéis que Durant está aquí para aceptar vuestras apuestas.

Luego, agitando en las mismas barbas de *Grouse Piet* las dos pieles de zorro rayado y las diez de zorro rojo, añadió:

—¡Guarda esto, *Grouse Piet!* Hay diez veces más en el lugar de donde proceden.

Miki olfateaba el aire, que encontraba lleno de extraños tufillos, aturdido por los olores de los hombres y de los perros y por el sabroso aroma de las cinco enormes antas que se asaban a quince pies sobre las inmensas hogueras. Durante diez horas continuaron volteando en sus asadores, gruesos como piernas de hombre. El combate de los perros debía verificarse antes del festín.

Durante una hora, el tumulto fue ensordecedor junto a las jaulas de los dos perros. Los hombres apreciaban a los combatientes y comprometían sus apuestas, mientras Durant y *Grouse Piet* se lanzaban frases llenas de sarcasmo y de desprecio. Después la multitud comenzó a diseminarse.

El sitio ocupado hacía un momento por hombres y mujeres fue invadido por una cincuentena de muchachos con la tez más o menos bronceada, que se apiñaban alrededor de las jaulas. Entonces fue cuando *Miki* pudo entrever las hordas de bestias atadas aisladamente, por parejas o en grupos, en la linde del terreno descubierto. Su olfato acabó por hacer la distinción: no eran lobos, sino seres de su misma especie.

Transcurrió bastante tiempo antes de que su atención se concentrase en el animal encerrado en la jaula vecina. Cuando sus ojos se fijaron en él, aproximóse a los barrotes y husmeó el aire. Por su parte, el perro-lobo apuntó hacia él su afilado morro. Aquel movimiento recordó a *Miki* la enorme fiera con quien combatió un día al borde del acantilado. Instintivamente, enseñó los colmillos y gruñó. El perro-lobo contestó con otro gruñido. Durant se frotó las manos de gusto y *Grouse Piet* rióse para sí.

—¡Se batirán! —dijo Enrique una vez más.

—¡El lobo se batirá, sí! —contestó *Grouse Piet*—. Pero perro suyo, señor, se sentirá perrillo faldero cuando batalla venir.

Poco después, *Miki* vio detenerse a un hombre blanco muy cerca de su jaula. Era Mac Donnell, el factor escocés. Contemplaba a *Miki* y al perro-lobo con mirada triste.

Diez minutos después, en la pequeña habitación que

le servía de oficina, decía a un hombre más joven que él:

—Yo quisiera impedir eso, pero no puedo; nadie se pondría de mi parte, y estoy seguro que perderíamos la mitad de las pieles de la temporada. Hace cincuenta años que hay combates de perros en el Fuerte de Dios. Al fin y al cabo, yo pienso que esto no es peor que los asaltos de boxeo de allá abajo, entre los civilizados; pero, en el caso actual...

—Es una lucha a muerte —contestó el joven.

—Eso mismo. Generalmente, uno de los dos perros muere.

El joven sacudió la ceniza de su pipa y dijo simplemente:

—Yo adoro a los perros. En mi Puesto, Mac, nunca habrá combates, como no sea entre hombres... No iré a ver esta lucha, porque... ¡temo matar a alguien!

CAPÍTULO XX

EL COMBATE

Eran las dos de la tarde. Las antas que se asaban adquirían un hermoso color dorado. Dos horas más, y comenzaría el festín. Había llegado la hora del combate.

En el centro de la explanada, trescientas personas, hombres, mujeres y niños, se agolpaban en círculo alrededor de una cerca de estacas que medía diez pies cuadrados. Contra esta cerca, en los extremos opuestos, se habían arrastrado dos jaulas. Junto a una estaba Durant, y junto a la otra *Grouse Piet*. Ahora no bromeaban. Sus rostros estaban duros y serios. Trescientos pares de ojos los miraban, y trescientos pares de oídos aguardaban la señal apasionadamente.

Ésta fue al fin dada por *Grouse Piet*.

Con rápido ademán Durant levantó la puerta de la jaula de *Miki*, pinchando al animal en la grupa con un garrote puntiagudo. De un solo salto salió el perro a la arena. Al mismo tiempo, *Grouse Piet* hacía lo propio con su perro-lobo, y los dos enemigos se encontraron frente a frente.

Durante el medio minuto que siguió, la respiración de Durant parecía un gemido. Sin embargo, la manera de obrar de *Miki* no era más que una reacción del ambiente. En pleno bosque, el perro-lobo le hubiera interesado con exclusión de toda otra cosa, y lo habría mirado como un segundo *Netah* o como un lobo salvaje. Pero en aquel sitio, la idea de batirse era lo último que se le podía ocurrir.

Fascinado por el círculo de rostros rígidos y atentos que se agolpaban alrededor del cercado, los examinaba, volviendo la cabeza vivamente de un lado a otro, esperando acaso encontrar el de Nanette, o el de la niña, o quizás el de su primer amo, Challoner.

El perro-lobo había sido bautizado por *Grouse Piet* con el nombre de *Taao,* a causa de la fenomenal longitud de sus colmillos. Pero *Miki,* con gran horror de Durant, parecía haberse olvidado (después de la primera ojeada frente a frente) de aquel temible personaje. Corrió hacia la valla, metió el morro entre los barrotes y una risa burlona salió de la garganta de *Grouse Piet.* Después el perro dio una vuelta al cercado, fijando su mirada penetrante en aquel círculo de cabezas.

Taao, por el contrario, permanecía en el centro de la arena, sin quitar sus rojizos ojos de *Miki.* Lo que pasaba fuera de la jaula no le interesaba: sabía que su papel allí era matar, y esperaba el instante propicio para caer sobre su enemigo. *Taao* daba vueltas sobre sí mismo siguiendo todos los movimientos de *Miki,* con el pelo erizado a lo largo de su espina dorsal.

Durante un intervalo apreciable, el pecho de Durant resonó como una fragua.

Después *Miki* se detuvo y, en el mismo instante, entrevió el trampero el fin de todas sus esperanzas. Sin proferir un gruñido, el perro-lobo se había lanzado sobre su adversario. Un mugido de alegría se escapó de los gruesos labios de *Grouse Piet.* Todo el círculo de espectadores parecía jadear, y Durant sintió correrle un escalofrío desde la espalda a la raíz de los cabellos.

Lo que pasó durante el minuto siguiente suspendió la respiración de la multitud. En aquel primer ataque, *Miki* debió de haber perdido la vida. *Grouse Piet* esperaba la muerte, y Durant también. Pero durante la última fracción de segundo, cuando ya iban a cerrarse sobre él las mandíbulas del perro-lobo, *Miki* se transformó en un rayo. Jamás vio nadie movimiento tan rápido como el que hizo para volverse contra *Taao*. Entrechocaron sus colmillos. Oyóse un ruido espeluznante de huesos triturados, y los dos animales rodaron por el suelo estrechamente unidos. Ni *Grouse Piet* ni Durant podían darse cuenta de lo que pasaba. Olvidaban hasta sus apuestas en el horror de aquel combate. Jamás se había visto uno parecido en el Fuerte de Dios.

El ruido de la lucha llegó incluso hasta los almacenes de la Compañía. En la puerta, mirando hacia la explanada donde se celebraba el combate, se encontraba el joven blanco. Oyó los gruñidos, el choque brutal de los colmillos... y él mismo apretó sus dientes, mientras una llama sombría brillaba en sus ojos. Su respiración se hizo anhelante.

—¡Condenación! —profirió con voz contenida.

Cerró los puños y descendió hacia el cercado.

Todo había terminado cuando se abrió camino a través de los espectadores. El combate había sido brevísimo: el perro-lobo de *Grouse Piet* yacía en el centro de la arena, con la yugular partida; pero *Miki* parecía también moribundo.

Durant, después de abrir la puerta, le deslizó una cuerda al cuello. El animal vacilaba sobre sus patas y estaba cubierto de sangre y medio ciego. Su cuerpo aparecía desgarrado y ensangrentado por una docena de sitios, y un chorrito de sangre le caía de la boca.

Un grito de horror escapóse de la garganta del joven blanco que lo miraba.

Después, casi simultáneamente, profirió otro grito más extraño aún.

—¡Dios mío!... *¡Miki!... ¡Miki!... ¡Miki!...*

Miki oyó la voz querida, como si viniera de muy lejos, pero la reconoció a pesar de sus dolores y de la debilidad por la gran pérdida de sangre.

¡Aquella voz!... ¡Ah, aquella voz!... Era con la que tanto había soñado, a la que tanto y tanto había esperado, sabiendo que un día u otro volvería a resonar en sus oídos. ¡Sí, aquella voz era la de Challoner, su antiguo amo!...

Se agachó, arrastrándose sobre su vientre, y, lanzando un dulcísimo gemido, intentó ver a través de la nube de sangre que velaba sus ojos. Y allí, caído en tierra, casi herido de muerte, movió la cola en señal de reconocimiento. Entonces, con gran sorpresa de todos los asistentes, Challoner se arrodilló junto a él y le abrazó con ternura, mientras el pobre *Miki,* con su lengua herida, intentaba alcanzar sus manos, su rostro, sus ropas...

—*¡Miki, Miki, Miki!...*

La mano de Durant cayó pesadamente sobre el hombro de Challoner. Aquello fue para él como el contacto de un hierro candente. Vivo como una centella, se puso de pie junto al otro.

—¡Es mío! —gritó Challoner, esforzándose por contener su cólera—. ¡Es mío... bruto del demonio!

Y, no pudiendo contener su ira, descargó un formidable puñetazo sobre la mejilla innoble de Durant, que cayó al suelo. Challoner estuvo un instante inclinado sobre él; viendo que no se movía, volvióse con fiereza hacia *Grouse Piet* y la multitud, y señalando a *Miki,* que continuaba echado a sus pies, gritó con todas sus fuerzas, para que fuera oído por todos:

—Este perro es mío. Yo no sé dónde ese bruto lo habrá cogido, pero el perro es mío. ¡Miradlo todos; mirad cómo lame mis manos! ¿Le haría otro tanto a él? Lo hubiera reconocido entre mil, por su oreja rota. Lo perdí hace cerca de un año. ¡Bondad divina! Si yo hubiese sabido...

Se abrió paso por entre los mestizos y los indios, llevando a *Miki* por la cuerda que Durant habíale puesto al cuello.

Se fue a ver al factor Mac Donnell y le contó lo que acababa de pasar, el accidente de la última primavera, y cómo *Miki* y el osezno, cayéndose de su canoa, habían sido arrastrados a la catarata. Una vez probada su absoluta e innegable propiedad del perro, se dirigió a la cabaña que habitaba mientras permanecía en el Fuerte de Dios.

Una hora después, Challoner, sentado, tenía entre sus manos la enorme cabeza de *Miki,* al que hablaba cariñosamente. Antes había curado y lavado sus heridas, y *Miki* veía ahora claramente. Sus ojos estaban fijos en el rostro de su amo y su gruesa cola batía el suelo. Los dos olvidaban los rumores de orgía del exterior, los clamores de los hombres, los gritos de los niños, las risas de las mujeres y el ladrido lejano de los perros. Un brillo de ternura animaba los ojos de Challoner.

—*Miki,* mi viejo amigo... ¿verdad que te acuerdas? ¡Sí, sí, te acuerdas de todo!... Entonces eras tú un perrillo inocentón y buenazo. ¿Te acuerdas que yo te decía que os iba a llevar a ti y al osezno con la pequeña?... ¿Verdad que te acuerdas que yo te decía que ella era un ángel de bondad, de dulzura, y que te amaría hasta la muerte, y otras cosas por el estilo?... ¡Pues bien: ahora me alegro de que las cosas hayan sucedido así para que tú no vinieras allá conmigo!... ¡Todo había cambiado cuando yo regresé, *ella* no era ya la misma, *Miki!*... ¡Señor! ¡Se había casado *y tenía dos hijos!*... ¿Te haces cargo, vagabundo mío? *¡Dos hijos!* ¿Cómo diablos iba a ocuparse de ti y del osezno?... Y, además, todo era distinto, querido mío. Tres años pasados en este dichoso país, donde uno se reventaría los pulmones nada más que por el placer de tragar aire, me habían cambiado bastante. Al cabo de una semana escasa ya deseaba volver, *Miki,* y por eso he vuelto... Sí, querido mío, me moría de deseos. ¡Ahora continuaremos aquí!... Tú vas a venir conmigo al nuevo Puesto que la Compañía me ha dado. A partir de hoy, somos camaradas... ¿Comprendes, viejo vagabundo? ¡Somos compañeros!

CAPÍTULO XXI

EN LA CABAÑA DE CHALLONER

Aquella misma noche, tarde ya, cuando Challoner se disponía a acostarse, llamaron a la puerta de su cabaña, y un jovenzuelo indio le comunicó que el factor Mac Donnell le quería hablar con urgencia.

Se preguntó para qué le querría el factor en aquel momento.

Miki, echado sobre el vientre, junto a la estufa, le miró extrañado viéndole ponerse las botas. Challoner le había limpiado las sangrientas huellas del terrible combate.

—Debe de ser algo relacionado con ese demonio de Durant — murmuró Challoner mirando al perro —. Pues bien, *Miki*, si se figura que va a recobrarte, se equivoca de medio a medio. Tú eres mío.

Miki movió la cola y se fue tras de su amo en muda adoración.

Un instante después, salían los dos de la cabaña.

La noche estaba iluminada por una luna blanca y una multitud de estrellas. Las cuatro hogueras sobre las cuales habían asado a las antas llameaban aún. En la linde del bosque se consumían una veintena de fogatas, tras las cuales se diseñaban los contornos grises de los abrigos y de las tiendas donde dormían los trescientos indios y mestizos venidos a la fiesta. De vez en cuando se veía remover un cuerpo. Los mismos perros estaban tranquilos después de aquellas horas de excitación y de glotonería.

Challoner y *Miki*, luego de dejar atrás las hogueras del festín, se dirigieron hacia la casa del factor. *Miki* olfateó, al pasar, los huesos bien limpios, único vestigio de las dos mil libras de carne que se habían asado aquella jornada. Todos, hombres, mujeres, niños y perros estaban ahítos. El extraño silencio que reinaba en el fuerte de Dios, a trescientas millas de toda civilización, era el silencio de *Mutai, el dios del vientre*, que se harta todas las noches hasta caer rendido de sueño.

En la oficina del factor había luz. Challoner entró seguido del perro.

El escocés fumaba, preocupado, su pipa, y en su rudo rostro se reflejó una expresión de disgusto al ver a *Miki*.

Challoner sentóse y el factor le dijo:

—Durant ha estado aquí, y su actitud no presagiaba nada bueno. Si usted no le hubiera golpeado...

Challoner se encogió de hombros, llenando su pipa con el tabaco del factor.

—Escuche — continuó éste —, usted no se da cuenta

de la situación en el Fuerte de Dios. Hace cincuenta años que hay un gran combate de perros por Año Nuevo. Eso forma parte de la historia del Fuerte de Dios y del establecimiento, por lo cual yo, en los quince años que llevo aquí, no he intentado oponerme a ello. Creo que cualquier otra política produciría una especie de revolución. Apuesto a que la mitad de mis gentes irían a llevar sus pieles a otro Puesto. Por eso todas las simpatías parecen estar con Durant en este asunto. Hasta el mismo *Grouse Piet,* su rival, le ha reprochado su estupidez de dejarlo marchar a usted así, con ese perro. Durant pretende que es suyo.

—Durant miente —repuso tranquilamente Challoner.

—Dice que se lo compró a Jacobo *el Hermoso.*

—En tal caso, *el Hermoso* ha vendido un perro que no le pertenecía.

Mac Donnell permaneció un instante silencioso, y prosiguió:

—Pero no ha sido por esto por lo que le he hecho venir, Challoner. Durant me ha contado algo esta noche que me ha helado la sangre en las venas. ¿Es mañana, verdad, cuando su equipo parte para su Puesto en el condado de Reindeer Lake?

—Sí, mañana por la mañana.

—Entonces, ¿podría usted, con uno de mis indios y un atelaje, arreglarse para torcer hacia la parte de Jackson's Knee?... Perdería usted una semana, pero podría alcanzar a su equipo antes de que llegase al Reindeer, y me haría usted un gran favor... Ha pasado allí algo infernal.

El factor miró de nuevo a *Miki.*

—¡Por vida de...! —murmuró luego.

Challoner esperaba, intrigado. Creyó advertir un estremecimiento que sacudió los hombros del factor.

Y Mac Donnell continuó:

—Me gustaría ir yo mismo. Debería ir, pero esta congestión pulmonar me ha obligado a estar tranquilo este invierno, Challoner... Sí, yo debería ir, pues... —sus ojos se animaron con un brillo súbito— yo he conocido a esa Nanette cuando no era más que así de alta, hace quince años... la he visto crecer, Challoner... Si yo no hubiese estado casado... me habría enamorado de ella.

¿La conoce usted, Challoner?... ¿Ha visto usted alguna vez a Nanette?

Challoner negó con la cabeza.

—Si hay algún ángel sobre la tierra, es ella —declaró Mac Donnell—. Vivía con su padre al otro lado del Jackson's Knee. Él murió helado una noche, al atravesar el lago Red Eye. Yo siempre he creído que Jacobo *el Hermoso* la obligó a casarse con él, después de la muerte de su padre. O sería que la soledad le dio miedo, o que era una ignorante, o que se volvió loca... Sea como fuere, lo cierto es que se casó con él. Yo la vi la última vez hará unos cinco años. De vez en cuando oía contar muchas cosas... pero nos las creía todas... No podía creer que Jacobo *el Hermoso* la maltratara cuando le placía, que un día la arrastrase por la nieve cogiéndola por los cabellos hasta que estuvo medio muerta. Aquello no eran sino rumores que llegaban de setenta millas de distancia. Pero ahora creo. Durant acaba de llegar de su casa y me ha confesado muchas verdades para salvar a este perro.

Miró a *Miki* una vez más.

—Vea usted. Durant me ha contado que *el Hermoso* atrapó a este perro en uno de sus cepos, lo llevó a su cabaña y lo torturó para ponerlo en forma, con vistas al gran combate. Cuando Durant llegó allí, le gustó tanto el perro que lo compró, y cuando *el Hermoso,* para demostrar la fiereza del animal, lo enloquecía en su jaula, Nanette se interpuso; *el Hermoso,* ciego de ira, golpeó a su mujer, derribándola al suelo, insultándola, arrancándole los cabellos, y ya la iba a estrangular, cuando el perro se arrojó sobre él y le abrió la garganta. Ésta es la historia. Durant me ha dicho toda la verdad temiendo que yo hiciera matar al perro al saber que había matado a un hombre. Por eso quisiera que pasara usted por Jackson's Knee. Me gustaría que hiciese usted una investigación y atendiera en todo lo posible a Nanette. Mi indio la traerá al Fuerte de Dios.

Durante este relato, Mac Donnell, con su flema escocesa, había contenido toda señal de emoción. Hablaba tranquilamente. Pero el mismo extraño estremecimiento le sacudió de nuevo los hombros. Challoner le miraba aturdido.

—¿Usted quiere decir que *Miki*, que este perro ha matado a un hombre?

—Sí, lo ha matado, según cuenta Durant, de la misma manera que ha matado al perro-lobo de *Grouse Piet* en el gran combate de hoy.

Y mientras la mirada de Challoner se posaba largamente en *Miki*, el factor añadió:

—Por lo demás, el perro de *Grouse Piet* valía más que aquel hombre. Si lo que me han contado de Jacobo *el Hermoso* es verdad, más vale que haya muerto. Challoner, si ese rodeo no le causa a usted un gran trastorno, hágalo y vea a Nanette...

—Iré — dijo Challoner, acariciando la cabeza de *Miki*.

Durante media hora más, Mac Donnell le puso al corriente de todo lo que sabía acerca de Nanette. Cuando Challoner se levantó para marcharse, el factor le acompañó hasta la puerta, diciendo, a manera de advertencia:

—¡Abra usted el ojo con Durant!... Este perro vale para él más que todo lo que ha ganado hoy... y me han dicho que sus apuestas eran crecidas, aparte la suma enorme que le ha ganado a *Grouse Piet*. No obstante, el mestizo y él están en las mejores relaciones. Me consta. Conque... desconfíe usted.

Al salir de la factoría, Challoner permaneció unos instantes parado bajo la luz de la luna, con las patas delanteras de *Miki* apoyadas en su pecho. La cabeza del perro le llegaba casi al nivel de los hombros.

—¿Te acuerdas cuando te caíste de la canoa, amigo mío? — le preguntó dulcemente —. ¿Te acuerdas que ibas atado con el osezno, y que os peleasteis y caísteis al agua, siendo arrastrados a la catarata?... ¡Por las barbas de Júpiter! ¡Poco faltó para que yo también cayera en ella!... Os creía muertos a los dos... ¿Qué habrá sido del pobre osezno?

Miki contestó con un gemido y tembló todo su cuerpo.

—Después has matado a un hombre — continuó Challoner, como si no estuviera del todo convencido —. Y tengo que conducirte ante la viuda... Esto es lo más terrible del asunto, que vuelvas a su casa, y si ella dice que hay que matarte...

Dejó a *Miki* caer sobre sus patas y se dirigió hacia su cabaña.

En el umbral, un profundo gruñido salió de la garganta de *Miki.* Challoner dejó oír una ligera risa y abrió la puerta. El gruñido del animal se hizo más amenazador. Challoner había bajado simplemente la lámpara y, a su débil claridad, percibió a Enrique Durant y *Grouse Piet,* que le aguardaban. Subió la mecha e hizo una inclinación de cabeza.

—¡Buenas noches! —dijo—. ¿No les parece a ustedes que es un poco tarde para hacer visitas?

El rostro estúpido de *Grouse Piet* no cambió de expresión.

Challoner observó de una ojeada que la conformación grotesca de su cabeza y de sus hombros le daban un cierto parecido con una morsa. Los ojos de Durant tenían una expresión socarrona. Su cara estaba hinchada en el sitio donde Challoner le había golpeado. *Miki,* con todos los músculos tensos y gruñendo siempre sordamente, se había deslizado bajo la cama de Challoner.

Durant le señaló con el dedo:

—Hemos venido a buscar ese perro.

—No puede usted tenerlo, Durant —contestó Challoner, procurando aparecer sereno en una situación que daba escalofríos.

Mientras hablaba dábase cuenta del motivo que había juntado allí a *Grouse Piet* con Durant. Los dos eran gigantescos, peor aún, monstruosos, y, por instinto, haciéndoles frente, Challoner había dejado su pequeña mesa entre ellos y él.

—Siento haberme dejado llevar por la cólera esta tarde —continuó Challoner—. Comprendo que no he debido gopearle a usted, y le doy mis excusas por el arrebato. Pero el perro es mío. Yo lo perdí en la región del Jackson's Knee, y si Jacobo *el Hermoso* se lo ha vendido a usted, ha dispuesto de un animal que no era suyo. Estoy dispuesto a reembolsarle la suma que haya usted pagado, para que vea que quiero portarme con toda lealtad. ¿Cuánto le ha costado a usted?

Los dos hombres, *Grouse Piet* y Durant, se levantaron. Durant incluso dio unos pasos por la habitación, yendo a apoyarse al otro lado de la mesa. Challoner, viéndolo tan gigantesco, se preguntaba en silencio cómo diablos había podido derribarle de un solo puñetazo.

—No, el perro no se vende — contestó luego Durant. Hablaba con una especie de rabia contenida, y Challoner veía sus enormes manos apoyadas en la mesa.

Hubo una pausa.

Al fin, Durant preguntó en ese mismo tono, un tanto amenazador:

—Bueno, señor, hemos venido a buscar el perro. ¿Quiere usted dejárnoslo coger?...

—Yo le devolveré lo que le haya costado, Durant. Incluso le pagaré a usted un suplemento.

—No, no acepto. El perro es mío. ¿Quiere usted devolvérmelo en seguida?...

—¡No!

Apenas acababa de salir esta palabra de los labios de Challoner, Durant cayó sobre él con la fuerza de una catapulta, derribándolo al suelo. La mesa dio una vuelta de campana, arrastrando el quinqué, que se apagó. La habitación quedó a oscuras, excepto un pequeño cuadro iluminado por la luz de la luna que entraba por la ventana.

Challoner esperaba algo muy distinto. Suponía que Durant, antes de lanzarse a la acción, le amenazaría, y juzgando que la fuerza de los dos gigantes podía fácilmente aplastarle, había resuelto ganar el borde de su lecho durante la discusión, pues su revólver estaba bajo la almohada.

Pero ya era tarde.

Durant estaba encima de él, buscando su garganta a tientas. *Grouse Piet*, mientras tanto, rechazaba la mesa, lanzándola al otro lado de la estancia en que se desarrollaba la batalla. Un instante después rodaron hasta el claro de luna, y Challoner vio la figura gigantesca de *Grouse Piet* inclinada sobre ellos.

Había podido hacer una llave, que oprimía la cabeza de Durant, pero éste le alcanzó el cuello con una de sus manos. Challoner hizo un esfuerzo enorme para rodar con su enemigo fuera del cuadro luminoso. La nuca maciza de Durant crujía. *Grouse Piet* preguntó algo a su amigo, pero Challoner, apretando con todas sus fuerzas la llave con que aprisionaba la cabeza de Durant, le impidió contestar.

Entonces, el peso enorme de *Grouse Piet* cayó sobre

ellos, y las manos del gigante buscaron también en la oscuridad el cuello de Challoner.

A tientas, lo encontró en efecto... Diez segundos hubieran bastado para que el hércules lo estrangulara. Pero sus dedos no se cerraron. Un grito de horrible dolor resonó en la cabaña. Se oyó un crujido de mandíbulas y el desgarrar de unos colmillos en la sombra. Con una violenta sacudida, Durant se libró del abrazo de Challoner y se puso en pie de un salto. En un abrir y cerrar de ojos Challoner ganó su cama e hizo frente a sus enemigos revólver en mano.

Toda aquella escena habíase desarrollado en menos de un minuto. En el momento mismo en que la situación se tornaba en su favor, Challoner sintióse acometido por un terror súbito. Recordó la arena donde habían luchado los dos perros aquella tarde, con su epílogo sangriento... Y allí, en la oscuridad de la cabaña...

Oyó de pronto un lamento desgarrador y el derrumbamiento de un cuerpo en el suelo.

—¡*Miki!* — ordenó con voz imperiosa —. ¡Aquí, *Miki!* — Y dejando caer su revólver, corrió hacia la puerta, abriéndola de par en par.

—¡Por el amor de Dios! — exclamó —. ¡Salgan, salgan aprisa!

Un cuerpo le rozó y se perdió en la noche. Él sabía que era Durant. Challoner se internó de nuevo en la oscuridad de la habitación y, agachándose, cogió a *Miki* por la piel, tirando de él hacia atrás, mientras le llamaba por su nombre.

Vio a *Grouse Piet* arrastrarse fuera de la cabaña, y después levantarse penosamente. Su silueta vacilante se perfiló un momento en el cielo estrellado y se esfumó en la oscuridad.

Entonces sintió el cuerpo de *Miki* derrumbarse en el suelo y volverse fláccidos sus músculos bajo sus dedos. Permaneció aún dos o tres minutos arrodillado junto a él; después cerró la puerta de la cabaña y encendió otra lámpara, que colocó sobre la mesa, ya levantada.

Miki no se había movido. Estaba echado en el suelo, con su enorme cabeza entre sus patas delanteras, mirando a su amo con ojos llenos de dulzura.

Challoner le tendió los brazos.

—¡*Miki!*

Al instante *Miki* se levantó, poniendo sus manazas en el pecho de su amo. Éste, que le abrazaba, miró al suelo y vio manchas de sangre y jirones de ropa.

Sus brazos se cerraron más estrechamente.

—¡*Miki*, mi viejo camarada, gracias!

CAPÍTULO XXII

LA LLAMADA DE NANETTE

Al día siguiente por la mañana, el equipo de Challoner, compuesto de tres atelajes y cuatro hombres, se puso en marcha hacia el Jackson's Knee. Detrás de él marchaba uno de los indios de Mac Donnell con el atelaje que debía conducir a Nanette al Fuerte de Dios.

No había vuelto a ver a Durant ni a *Grouse Piet*, y creía con el factor que debían haber abandonado el Puesto casi inmediatamente después de haberle asaltado en su cabaña. Sin duda, su desaparición había sido apresurada por el hecho de esperarse aquel día en el Fuerte de Dios una patrulla de la policía montada del Royal Northwest, que se dirigía a la factoría de York.

Challoner esperó el último instante para sacar de su cabaña a *Miki* y atarlo a la barra de dirección de su trineo. *Miki* se irguió a la vista de sus cinco congéneres sentados sobre sus ancas, y el gruñido familiar le subió a la garganta. Pero las palabras calmantes de Challoner hiciéronle comprender en seguida que no eran enemigos. Y su tolerancia asaz desconfiada no tardó en trocarse por una especie de interés por sus hechos y actitudes. Era un atelaje de buena condición, criado en el Sur y desprovisto de toda mezcla de lobo.

Los acontecimientos se habían precipitado tan rápida y violentamente en las últimas veinticuatro horas de la vida de *Miki*, que durante muchas millas después de su partida del Fuerte de Dios, sus sentidos permanecían en un estado de inquietud y exaltación. Su cerebro estaba atiborrado de una extraña muchedumbre de imágenes emocionantes. En un último término distinguía apenas las representaciones de lo que había ocurrido antes de su captura por Jacobo *el Hermoso*. El mismo recuerdo de *Niva* palidecía ante los episodios tan intensamente vividos en la cabaña de Nanette y en el Fuerte de Dios. Las imágenes que más persistían en su mente eran las de los hombres y los perros y tantas otras cosas jamás vistas antes. Su mundo se había súbitamente transformado en una legión de Durants, de *Piets* y de *Hermosos*, de bestias de dos patas que le habían deshecho a garrotazos, hasta dejarlo casi muerto, obligándole después a batirse para defender su propia vida. Habiendo saboreado su sangre en su venganza, espiaba ahora su aparición. Su imaginación le decía que se hallaban por todas partes. Podía representárselos innumerables como los lobos, tal como los había visto apelotonados alrededor de la arena.

En aquel panorama mental de excitación y de deformación, no existía más que un Challoner, una sola Nanette y sólo una niña. Todo lo demás era un caos de incertidumbre y de siniestra amenaza. Habiéndose acercado dos veces el indio por detrás, *Miki* se volvió hacia él con un gruñido salvaje. Y Challoner, amansándolo, sonrió con tristeza, comprendiendo cuántos debían haber sido los sufrimientos del pobre animal para llegar a aquel estado de agresividad irrefrenable.

Entre sus representaciones mentales sólo una permanecía más precisa y distinta que las otras: la de Nanette, que incluso se sobreponía a la de Challoner. En él persistía el recuerdo de su voz dulcísima, de sus ojos llenos de bondad y de ternura, el olor de sus trenzas y de sus manos delicadas..., y formando parte de la mujer como la mano forma parte del cuerpo, estaba la nena rubia y blanca como un lirio recién abierto.

Challoner, incapaz de adivinar lo que le ocurría a *Miki*, mostrábase algo inquieto cuando dispusieron el campamento aquella noche. Durante una hora, sentado junto al fuego, intentó hacer revivir en el perro la antigua camaradería. Pero no lo consiguió más que a medias. *Miki* estaba inquieto. Todos los nervios de su pobre cuerpo parecían exasperados. Varias veces miró hacia el Oeste, y siempre que husmeaba el aire en aquella dirección un profundo gemido nacía en su garganta.

Aquella noche, con una duda dolorosa en el corazón, Challoner ató al perro con una fuerte cuerda al tronco de un árbol, junto a su tienda.

El perro permaneció sentado mucho tiempo después de que su amo se hubo acostado. Debían de ser ya las diez. La noche estaba tan tranquila, que las crepitaciones del fuego moribundo resonaban en sus oídos como latigazos. Tenía los ojos muy abiertos y alerta. Cerca del fuego, *Miki* podía distinguir la forma inmóvil del indio, que dormía muy envuelto en su manta. Detrás de él, los perros del trineo habíanse improvisado unos nidos en la nieve y guardaban silencio.

A una milla o dos de distancia, un lobo solitario se puso a aullar a la luna, que lucía radiante en un cielo purísimo. Aquella llamada lejana del lobo aumentó la intranquilidad de *Miki,* que sintió deseos de contestar, de levantar la cabeza y lanzar su aullido a la luna, a los bosques y al cielo estrellado. Sin embargo, no hizo más que entrechocar sus mandíbulas y mirar hacia la tienda donde dormía Challoner.

Al fin se echó sobre la nieve, pero su cabeza permanecía erguida y vigilante.

La luna comenzaba a declinar, el fuego se iba apagando, el reloj de Challoner debía de marcar más de media noche, y *Miki* continuaba con los ojos abiertos en la inquietud de aquel llamamiento misterioso que le trajo la noche. Por fin, no pudo contenerse más y se puso a morder su cuerda. Cedía a la atracción de la mujer, de Nanette y su niña.

Una vez libre, *Miki* olfateó la tienda de su amo; después encorvó el lomo y dejó pender su cola. Sabía que en aquel momento traicionaba al dueño tan largamente esperado y que había vivido con tanta intensidad en sus sueños. Esto no era en él un razonamiento, sino una opresión intuitiva y real. Volvería: esta convicción se aferraba a su cerebro. Sin embargo, aquella noche, en aquel instante se veía obligado a irse.

Agachándose, se deslizó sin ruido por entre los perros dormidos, con la sutilidad de una zorra..., y poco después corría como una sombra gris hacia el Oeste, bajo la luz de la luna.

Curado de sus heridas, fortalecido por la carne y los cuidados que le prodigó Challoner, *Miki* trotaba con la rapidez y la elegancia de un lobo de los bosques. Ni las liebres que le rozaban, ni una nutria cuyo olor percibió casi junto a él, le hicieron detenerse en su carrera.

A través de los pantanos y la selva profunda, a pesar de los lagos y de los ríos, por entre las tristes soledades y los terrenos calcinados, sentíase impelido por su instinto infalible de la orientación. Sólo un momento se paró a beber rápidamente un poco de agua en un riachuelo.

Al fin la luna desapareció, las estrellas fueron palideciendo y la claridad lívida de la aurora apareció en el horizonte. *Miki,* en seis horas de marcha, había cubierto una distancia de treinta y cinco millas.

Entonces se detuvo sobre la cima de una cresta rocosa, viendo nacer el día. Jadeante, babeando, reposó hasta el momento en que el oro pálido de un sol de invierno comenzó a colorear el cielo. Después, los primeros rayos atravesaron el espacio como fogonazos de una artillería oculta tras las murallas de Oriente, y *Miki* se irguió sobre sus patas para mejor gozar de aquella maravilla matinal.

A su espalda, a cincuenta millas de distancia, se encontraba el Fuerte de Dios, y delante, a veinte millas, la cabaña de Nanette. Y el perro se lanzó en dirección a la cabaña.

A medida que se acercaba sentía cierta opresión extraña y misteriosa. Le inquietaba el recibimiento que le harían. Porque en aquella cabaña él había matado a un hombre y aquel hombre parecía pertenecer a Nanette.

Su marcha se hizo más vacilante. A media mañana, aún se encontraba como a media milla de la cabaña. Percibió el primer olor del humo familiar y se acercó furtivamente, trazando círculos y rodeos, como hacen los lobos, hasta el límite del pequeño claro donde tanto había sufrido.

Advirtió la cerca donde Jacobo le había tenido prisionero; la puerta seguía abierta, tal como la dejara Durant después de apoderarse de él. Vio la nieve pisoteada y sucia en el sitio donde había degollado a su verdugo. Y se puso a gemir.

Cuando pasó un rato, seguro por el humo que se escapaba de la chimenea de que había alguien en la cabaña, *Miki* se acercó a la puerta, abierta de par en par al sol de la mañana. Al marchar, hacíalo ahora con la cabeza baja y el rabo entre las piernas, en una actitud humilde y sumisa, como si pidiera perdón a los seres adorados, si les había hecho mal, para que no le repudiaran.

Al llegar a la puerta, echó una ojeada al interior. La habitación estaba vacía. En vano sus ojos buscaron a Nanette.

De pronto, sus orejas se irguieron, escuchando. ¡Sí, no le cabía duda!... Llegaba hasta él un débil rumor, suave como un arrullo, que provenía de la cuna. Ahogó un esbozo de gemido en su garganta seca. Avanzó lentamente, penetró en la cabaña, y, pasando su cabezota por encima del borde de la cunita donde dormía la niña, lamió con ternura, una sola vez, sus mejillas, y después se echó en el suelo, lanzando un profundo suspiro.

Miki oyó pasos. Entró Nanette con los brazos cargados de mantas, que llevó a la otra pequeña habitación, al salir de la cual percibió al perro.

Sus ojos se dilataron de sorpresa y corrió hacia el perro con los brazos abiertos, lanzando un grito de alegría.

Miki, transportado, comenzó a lloriquear como hacen los perrillos jóvenes, con el morro apoyado en el pecho de Nanette. Ella reía, y la niña, en la cuna, habiéndole visto también, palmoteaba con sus rosadas manecitas.

Ao-oo-tap-wa-meuk-eune (o sea, en el lenguaje de los indios *crees:* "Cuando el diablo sale, el cielo entra"). Y a la muerte de su marido, el diablo salió de la vida de Nanette. Su juventud parecía renacer y estaba más bella que nunca. En sus ojos se reflejaban una serenidad y una alegría nuevas. Ya no quedaba nada en aquella criatura espléndida de la pobre esclava que se encorvaba bajo el garrote o el látigo de un bruto. Su alma había florecido, y era feliz con su hija, feliz con su independencia recobrada, feliz bajo el sol de oro de su libertad nueva, feliz sobre todo por el divino tesoro de la esperanza, el mayor de todos los bienes.

Aquella noche, *Miki* volvió a vivir junto a ella las dulces horas soñadas: la mujer se peinaba junto al fuego, y él hundía su hocico en la cabellera de ébano, aspirando su suave perfume. Se deleitaba poniendo su cabeza en sus rodillas, sintiéndola sumergida en aquel manto fragante.

Y Nanette, de vez en cuando, le abrazaba con el mismo transporte de alegría y de ternura con que abrazaba a su hija, porque *Miki* era quien le había devuelto la libertad, la esperanza y la vida. Lo que había ocurrido no era, no había sido una tragedia: fue el cumplimiento sencillo y natural de la justicia divina. Dios, el Dios de bondad, le había enviado a *Miki* para que hiciera por ella lo que habrían hecho un padre o un hermano.

Cuando, dos noches después, llegó Challoner, al anochecer, encontróse a Nanette peinando su hermosa cabellera junto al fuego.

Al verla así, a la claridad de la lámpara que se reflejaba en sus ojos, sintió que el mundo y la tierra vacilaban de repente bajo sus pies... y comprendió que Dios habíale permitido vivir hasta este instante para que gozara aquella hora divina.

CAPÍTULO XXIII

NIVA SE DESPIERTA

Después de la llegada de Challoner a la cabaña de Nanette, toda sombra de tristeza desapareció en el mundo de *Miki*. No acertaba a explicarse el milagro, ni pensaba tampoco en el porvenir. Vivía sólo el presente, aquellas horas preciosas en las que todas las criaturas que él amaba estaban reunidas.

Sin embargo, en el fondo de su memoria, en el último término de aquellas cosas que habían echado raíz en su alma, subsistía la imagen del osezno, del querido *Niva*, su camarada, su hermano, su compañero en numerosos combates y aventuras. Y pensó en la fría caverna sepultada bajo la nieve, donde el osezno estaba sumergido en un largo y misterioso sueño, tan parecido a la muerte.

Pero él vivía en el encanto del presente. Las horas felices convertíanse en días, y Challoner seguía en la cabaña, Nanette y la niña no se marchaban hacia el Fuerte de Dios; el indio, que había venido con su trineo para llevarse a la mujer y la niña, volvió al fin hacia el Puesto con una carta de Challoner para el factor de la Compañía, en la que le explicaba que la pequeña sufría de los pulmones y no estaría en condiciones de viajar mientras la temperatura no se dulcificase. Al mismo tiempo rogaba a Mac Donnell que le enviara de nuevo el indio con ciertas provisiones.

A pesar del frío intensísimo que reinaba después del Año Nuevo, Challoner había instalado su tienda de campaña a cien metros de la cabaña de Nanette, en el lindero mismo del bosque. *Miki* compartía su tiempo entre uno y otro abrigo. Habían llegado para el perro días magníficos. En cuanto a Challoner...

Miki se daba cuenta de lo que ocurría hasta cierto punto, aunque le era imposible comprenderlo todo. A medida que transcurrían los días y las semanas descubría un brillo completamente nuevo en los ojos de Nanette, una nueva vibración en la dulzura de su voz y la gratitud de una gran alegría inesperada en sus plegarias nocturnas.

Después, un día, levantando *Miki* los ojos desde el rincón en que estaba echado, cerca de la cuna, vio a Nanette en los brazos de su amor. La mujer miraba a Challoner con ojos que brillaban como luceros, y él le decía algo que ella escuchaba con el rostro transfigurado, angelical, verdaderamente celeste.

Miki estaba intrigado. Y aún lo estuvo más al ver a su amo ir a la cuna y coger a la niña en sus brazos... Y, sobre todo, cuando la joven, después de contemplarlos con los ojos llenos de ternura, se cubrió el rostro con las manos y estalló en sollozos.

Miki lanzó un leve gemido... Challoner, entonces, colmando el asombro del perro, abrazó a Nanette, que rodeó con sus blancos brazos al hombre y a la niña, diciendo cosas que *Miki* no comprendía... Comprendió, sin embargo, que no debía ahora ni gruñir ni intervenir en la escena. Experimentó de pronto algo así como una alegría misteriosa, presintiendo que una nueva y maravillosa felicidad acababa de penetrar en la cabaña. Y siguió observando.

Unos minutos después Nanette fue a su lado y le abrazó, como había hecho con Challoner. Éste, mientras tanto, bailaba en el centro de la estancia, haciendo reír a la niña, que tenía en sus brazos. Luego Challoner también se arrodilló junto a él, y exclamó, loco de alegría:

—¡*Miki, Miki* querido: *ya tengo una familia!*

Miki procuró comprender.

Aquella misma noche vio a su amo deshacer y cepillar la hermosa cabellera de Nanette. Ambos reían como dos niños felices. Y *Miki* hizo aún mayores esfuerzos por comprender.

Antes de marcharse a su tienda, Challoner abrazó a Nanette, cogiéndole la cara entre sus manos, sonrió y estuvo a punto de llorar de alegría.

Después de aquello, *Miki* comprendió por fin. Supo que la dicha, una dicha radiante, había entrado en aquella cabaña para todos los que la habitaban.

Ahora que su mundo estaba en orden y era dichoso, *Miki* volvió a cazar. Cada día salía de la cabaña, alejándose más y más, encontrando un placer profundo en perseguir y coger liebres y en recorrer las soledades donde tanto había sufrido. Volvió de nuevo a la línea de cepos de Jacobo *el Hermoso.* Pero ahora los cepos, cerrados, no le causaban ya miedo alguno. Además, había perdido mucho de su antigua prudencia. Estaba más gordo. Y no sentía, como antes, un peligro en cada gemido del viento.

Durante la tercera semana de la estancia de Challoner en la cabaña, un día tibio que señalaba el fin de los grandes fríos, *Miki* cayó en una antigua trampa, en un terreno bajo, a diez millas de la casa de Nanette. *El Hermoso* la había instalado para atrapar un lince, pero el cebo estaba intacto: era un gran trozo de carne de anta, helada y dura como una piedra.

Miki comenzó por olerlo con curiosidad. Ya no temía al peligro. La amenaza, el dolor, estaban alejados de su mundo. Mordió el cebo, tiró hacia arriba... y el enorme leño cayó para romperle los riñones. Bien poco le faltó.

Durante veinticuatro horas permaneció impotente y prisionero. Luego, a fuerza de una lucha prolongada, logró libertarse.

El pobre perro se arrastró sobre la nieve, dejando tras de sí un surco parecido al de una nutria en el barro; su cuarto trasero estaba impotente. Su espina dorsal no estaba rota; pero su espalda sufría una parálisis temporal a consecuencia del golpe y el peso del leño.

Tomó la dirección de la cabaña, pero cada paso le causaba dolores atroces, tanto, que en una hora sólo avanzó un cuarto de milla.

Una segunda noche le sorprendió a menos de dos millas de la trampa. *Miki* se deslizó bajo unas matas y permaneció echado hasta la aurora y durante todo el día siguiente. Al otro día, que era el cuarto desde que salió de la cabaña, la espalda le dolía un poco menos, pero no podía arrastrarse más que unos cuantos metros cada vez.

El Espíritu Bienhechor de los Bosques le favoreció, pues encontró sobre la nieve el cadáver de un gamo devorado en parte por los lobos. La carne estaba helada, pero *Miki* la comió glotonamente. Luego buscó un refugio bajo un montón de ramas caídas, y durante diez días permaneció allí entre la vida y la muerte. A no haber sido por el cadáver del gamo, *Miki* habría perecido de hambre. Pero cada dos días se arrastraba hasta él, comiendo unos pedazos de la carne, que la nieve conservaba en buen estado. Sólo al cabo de la segunda semana se pudo poner en pie, y por fin a los quince días volvió a la cabaña.

Pero al llegar a la orilla de la explanada notó poco a poco los síntomas de un gran cambio. La cabaña estaba allí, como quince días antes; pero no salía humo de la chimenea, y los vidrios de las ventanas aparecían cubiertos de nieve. Alrededor de la casita se extendía una alfombra inmaculada. *Miki,* vacilante, atravesó el claro y se aproximó a la puerta. Ningún rastro de huellas conducía a ella. El invierno había amontonado en el umbral una gran cantidad de nieve. El perro se puso a gemir y a arañar la puerta. Pero nadie contestó, ni oyó el menor ruido.

Volvió al lindero del bosque y esperó. Esperó todo el día. De vez en cuando se acercaba a la cabaña, como para cerciorarse de que no se había equivocado.

Al llegar la noche, *Miki* se improvisó una cama junto a la puerta, y allí durmió. Luego vino un día triste y silencioso. La chimenea de la cabaña no echaba humo tampoco. Ni un ruido ni una voz resonaban en los oídos del perro. Y *Miki* llegó a adquirir la certidumbre de que Challoner, Nanette y la niña se habían marchado.

Pero le quedaba la esperanza. En adelante, en lugar de atender a los ruidos que pudieran venir de la cabaña, escuchó los que venían del bosque. Se puso a cazar, tan pronto por un lado como por otro, vigilante siempre, atento a la dirección del viento, con la esperanza de que algún día le trajera el olor de los seres amados. Por la tarde se internó en el bosque, en busca de una liebre. Cuando hubo matado y devorado su cena, volvió a dormir al mismo hueco, junto a la puerta.

Permaneció allí un tercer día, y en la noche siguiente oyó el aullido de los lobos bajo el cielo estrellado y sereno. *Miki* lanzó también una queja doliente, horrible, que resonó en la soledad helada: no era la respuesta a sus hermanos salvajes; era una súplica, un lamento tristísimo dirigido a Challoner, a Nanette, a la nena, impregnado de dolor y desesperación.

Sentía la soledad como nunca. Algo en su cerebro canino parecía decirle que todo cuanto había vivido en las dulcísimas semanas pasadas en la cabaña junto a los amos bondadosos no era más que un sueño..., y que ahora iba a volver a su existencia infernal, a su mundo horrible, con sus peligros, sus asechanzas, su vacío enorme, su ausencia deprimente de una amistad, de una compañía y su lucha terrible por la existencia.

Sus instintos, un instante embotados por el culto de lo que había contenido la cabaña, adquirieron una aguzada vitalidad. Volvió a sentir el escalofrío del peligro *que nace de la soledad,* y recobró su antigua prudencia, de tal modo, que al cuarto día andaba receloso por los linderos del bosque, con paso y aspecto de lobo.

La quinta noche durmió ya entre un matorral, en pleno bosque, y tuvo sueños extraños e inquietos. No soñó con Challoner, ni con Nanette, ni con la niña, ni con lo ocurrido en el Fuerte de Dios...; soñó con una cresta alta y desnuda amortajada bajo la nieve, y con una profunda y sombría caverna. Se encontró con su hermano y camarada de otros tiempos, con el oso *Niva,* intentó despertarle y le pareció sentir el calor de su cuerpo, y hasta oyó los gruñidos de protesta del perezoso, que no quería despertarse.

Poco después, revivió la escena de la batalla en el paraíso de las moras... y veía a *Niva* huir como un loco ante el oso que les había atacado. Cuando se despertó, sobresaltado por aquellas visiones, temblaba; sus músculos estaban tensos y gruñó amenazadoramente. Sus ojos inquisitivos brillaban como dos puntos luminosos en la sombra. Luego lanzó un gemido ansioso y dulce, esperando unos instantes, como si *Niva* fuera realmente a responderle.

Durante un mes, *Miki* vivió en las proximidades de la cabaña, acercándose una vez por día, al menos, e incluso algunas noches, cuando la soledad se le hacía insoportable. Y cada vez más también, *Miki* pensaba en su amigo el osezno.

Al empezar el mes de marzo llegó el *Tiki-Swao,* o gran deshielo. Durante una semana, el sol brilló en un cielo sin nubes. El aire era tibio y suave. La nieve cedía bajo los pies, y en las pendientes soleadas se fundía en arroyuelos o se precipitaba en minúsculos aludes. El mundo vibraba con un estremecimiento virginal: sentíase latir el gran pulso de la Primavera; y en el alma de *Miki* nacía también, cada vez más poderosa, una nueva esperanza, expresión rudimentaria y sugestión inédita de un instinto maravilloso: *¡Niva debía despertarse ahora!*

Miki acabó por oír aquello como una voz que él podía comprender. Era la música de los crecientes arroyuelos y de los vientos tibios, en los que no rugía ya la cólera invernal; eran los frescos olores surgidos de la tierra, el perfume húmedo y dulzón del negro mantillo del bosque... Aquella voz le excitaba, le llamaba y él sabía lo que decía.

"*¡Niva debe despertarse ahora!*"

Respondió a aquel llamamiento que ninguna fuerza física hubiera podido retener, pues estaba en la naturaleza de las cosas. Sin embargo, no hizo el viaje de un tirón, como el del campamento de Challoner a la cabaña de Nanette. Entonces él tenía un objetivo bien definido; un fin a cumplir exige siempre una realización inmediata. Mientras lo que ahora le atraía era un impulso irresistible, más bien que una realidad.

Durante dos o tres días, su marcha hacia el Oeste fue errante e indecisa; luego se orientó en línea recta, y al amanecer del quinto día salió a la llanura, tras la cual distinguió la cresta soñada.

Contempló largamente aquel paisaje antes de seguir su camino.

La imagen de *Niva* aparecía cada vez más clara en su cerebro. Al fin y al cabo, parecía que había sido ayer o dos días antes cuando él dejó aquella cresta. Entonces desaparecía bajo la nieve y una desolación terrible reinaba sobre la tierra. Ahora sólo quedaba un poco de nieve, brillaba el sol y el cielo era azul.

Miki continuó su marcha, y luego olfateó el suelo comenzando a subir la cresta. ¡No, no había olvidado el camino!... Ya no se sentía inquieto, porque el tiempo había cesado de tener para él una importancia definida. Era ayer cuando había bajado de esta cresta, y hoy, un día después, volvía a subirla.

Se dirigió directamente a la entrada de la caverna, ahora libre de nieve. Olfateó el aire. ¡Ah, sí, indudablemente! ¡El osezno era un perezoso empedernido! Aún dormía. *Miki* percibía su olor peculiar, y escuchando bien, podía oír su respiración.

Pasando por encima de los restos de nieve, penetró resueltamente en la oscura caverna. Oyó un gruñido soñoliento, seguido de un profundo suspiro. Estuvo a punto de caer, al tropezar con *Niva*, que había cambiado el sitio de su cama.

El oso lanzó un segundo gruñido, y *Miki* se puso a gemir. Hundió su hocico en la nueva piel de primavera del plantígrado, y por último lo acercó a su oreja. Ahora todo aquel pasado de ayer le volvía a la memoria. Cogió entre sus dientes la oreja del oso y se puso a ladrar en el tono grave que *Niva* había comprendido siempre.

"¡Despiértate, *Niva!* —parecía decirle—. ¡Levántate!... ¡La nieve ha desaparecido; ya estamos en el buen tiempo!... ¡Arriba!"

Y *Niva*, estirándose, exhaló un bostezo formidable.

Capítulo XXIV

¡AMIGOS DICHOSOS!

Meshaba, el viejo indio *cree*, estaba sentado al sol en una colina, desde la que se descubría todo el valle, de uno a otro extremo. El indio, al que hacía años le llamaban *el Gigante*, era muy viejo, tan viejo que ni los libros del factor en el Fuerte de Dios contenían mención alguna de su nacimiento, como tampoco los llamados "*libros de a bordo*" de Albany House, Cumberland House, Norway-House o del Fuerte Churchill. Quizá más al Norte, en el lago Labiche, o en el viejo Fuerte Resolución, o en el Fuerte Pherson, pudieran encontrarse algunas huellas de su origen. Su piel marchita, gastada por las intemperies, parecíase a la piel de gamo desecado, y alrededor de su rostro, moreno y demacrado, sus cabellos, de un blanco de nieve, le caían sobre los hombros. Sus manos eran transparentes, y al cabo de cerca de un siglo su visión no se había debilitado.

En aquel momento el viejo indio paseaba su mirada por el valle. Detrás de él, a una milla, sobre la otra vertiente de la colina, estaba su vieja cabaña de trampero, donde vivía solo. Después de un invierno largo y frío, Meshaba, encantado con el retorno de la primavera, había franqueado la cresta, para tomar un baño de sol y observar la transformación del mundo.

Desde hacía una hora sus ojos recorrían el valle de un extremo a otro, como los de un viejo halcón circunspecto. Un sombrío bosque de abetos y de cedros lo bordeaba por la parte más lejana. Entre aquella franja y su observatorio se desarrollaba una vasta extensión de praderas, aún cubiertas a trechos por la nieve; otras partes estaban completamente libres de la blanca alfombra y brillaban al sol con su verde intenso.

Desde el lugar en que estaba sentado, Meshaba podía distinguir también una escarpadura rocosa, especie de prolongación de la colina que se internaba cien metros en la llanura. Pero aquella escarpa no le interesaba apenas, a no ser porque, interceptando su campo visual, impedía a éste llegar una milla más lejos.

Desde hacía una hora Meshaba conservaba su actitud de esfinge, mientras que una espiral de humo escapábase con repugnancia de su sucia pipa. Muchos seres vivientes habían pasado ante sus ojos. A una media milla de allí, una banda de renos, saliendo del bosque, se habían aventurado hasta un grupo de arbustos aislados. Aquel espectáculo no había despertado en el indio el deseo de matar, pues en su cabaña pendía ya muerto uno de aquellos animales.

Más lejos había percibido un anta sin cuernos, tan grotesco en su fealdad de cachorro, que la piel apergaminada del viejo indio se distendió en una sonrisa, dejando escapar un gruñido crítico, pues Meshaba, a pesar de la edad, conservaba el sentido humorístico. En otro momento entrevió un lobo, por dos veces un zorro, y ahora sus ojos estaban fijos en un águila que se cernía sobre él a gran altura. Meshaba se guardaría muy bien de tirar sobre aquella ave, pues año tras año había ido él envejeciendo en su vecindad, y cada nueva primavera la encontraba allí volando al sol. Meshaba lanzó un gruñido de satisfacción, muy alegre de que *Upisk* no hubiese muerto durante el invierno.

—*Kata y oti sisiou* — se dijo a sí mismo, mientras una luz supersticiosa pasaba por sus ojos —. Juntos hemos vivido y está escrito que moriremos juntos, ¡oh *Upisk!* La primavera ha venido muchas veces para nosotros y pronto el sombrío invierno nos tragará para siempre.

Sus ojos se deslizaron lentamente, y después se detuvieron sobre la escarpa que limitaba su campo visual.

El corazón le saltó en el pecho, la pipa le cayó de la boca a la mano y se quedó mirando hacia un punto fijo, sin mover un músculo, como si se hubiera convertido en piedra.

Sobre una meseta soleada, a unos ochenta o noventa metros todo lo más, había un joven oso negro, cuya piel primaveral brillaba al sol como azabache pulido. Pero no era la súbita aparición del oso lo que asombró a Meshaba, sino el hecho de percibir junto a *Wakayu*, no un hermano oso, sino un gran lobo.

El viejo levantó una de sus diáfanas manos, e hizo el ademán de quitarse algo que seguramente le impedía ver claro. En el curso de sus ochenta y tantos años de vida no había visto jamás un lobo en camaradería con un oso. La Naturaleza ha hecho de estos dos animales los enemigos más encarnizados e irreconciliables que existen en la selva. Así es que, durante un instante, Meshaba dudó de sus ojos. Pero poco después tuvo que rendirse a la evidencia del milagro, pues la bestia volvió el flanco hacia él y, en efecto, era un lobo, un gran lobo de enorme osamenta, que le llegaba a los hombros a *Wakayu* el oso; un animal gigantesco, con una cabeza colosal, y...

En este instante el corazón del indio le dio otro salto, pues en la primavera la cola de los lobos es voluminosa y peluda, mientras que la de aquel animal estaba desprovista de pelos, como la de un castor.

—*¡Oh, Ohne moueh!* — exclamó Meshaba boquiabierto —. ¡Si es un perro!...

Deslizándose, fue en busca de su fusil, que estaba detrás de la roca donde hallábase sentado.

Al extremo de aquellos ochenta o noventa metros, *Miki* y *Niva* tomaban el sol, junto a la entrada de la caverna donde el oso había dormido su largo sueño invernal.

Miki estaba intrigado. Le seguía pareciendo que había sido el día anterior, y no el otoño último, cuando dejó a *Niva* en aquel antro. Pero ahora que había vuelto a encontrarle, después de haber sufrido él mismo un duro invierno en las selvas, permanecía sorprendido de hallarlo tan corpulento. La explicación era muy sencilla: *Niva* había continuado su desarrollo regular durante sus ouatro meses de sueño, y ahora era el doble de grande que cuando se durmió.

Mientras tanto, el oso olfateaba el viento, encontrando en él un olor extraño. De aquellos tres personajes, él era el único que no le encontraba nada de extraordinario a la situación. Cuando se durmió, hacía cuatro meses y medio, *Miki* estaba a su lado; ahora, al despertarse, lo encontraba junto a él. Aquellos cuatro meses y medio nada significaban para el oso. Muchas veces *Miki* y él habíanse dormido y despertado juntos. Según la noción que *Niva* tenía del tiempo, podía muy bien ser el día anterior cuando él cerró los ojos.

Lo único que le preocupaba en aquel momento era el extraño olor que acababa de percibir en el aire. Instintivamente sintió un peligro o, por lo menos, algo que hubiera preferido no percibir. Así es que, volviendo los talones, lanzó a *Miki* un "*¡buf!*" de advertencia.

Cuando Meshaba miró por detrás de su roca, esperando encontrar un blanco fácil para su fusil, la pareja de amigos desaparecía como un relámpago pendiente abajo. El indio apresuróse a disparar.

La detonación del arma y el silbido de la bala por encima de sus cabezas recordaron muchas cosas a *Miki* y a *Niva*. El oso adoptó su paso de huida, con la cabeza hundida en los hombros y las orejas gachas; y *Miki* tuvo que galopar fuertemente para seguirlo durante una milla por lo menos.

Luego, el pobre *Niva* se detuvo, extenuado. Su largo ayuno del invierno y su evidente debilidad estuvieron a punto de acabar con él. Pasaron muchos minutos antes de que pudiera recuperar el suficiente aliento para gruñir. Entre tanto, *Miki* no hacía más que olerle minuciosamente desde la rabadilla al morro, y debió de comprobar que no le faltaba nada, pues terminada la inspección, lanzó un pequeño ladrido de alegría y, a despecho de su estatura y de su dignidad, aumentados con el tiempo, se puso a hacer cabriolas alrededor de *Niva*, de modo que expresaba sin duda su alegría por volver a ver despierto a su camarada.

"He pasado un invierno terrible, solitario y triste, querido *Niva*, y no puedes imaginarte lo contento que estoy al verte al fin despierto y en pie — parecían decir sus locos saltos —. ¿Qué vamos a hacer ahora, amigo mío?... ¿Ir de caza...?"

Tal vez debía ser el pensamiento de *Niva*, porque se dirigió directamente hacia el valle y, al llegar a un terreno pantanoso, púsose a buscar raíces y hierbas, gruñendo al mismo tiempo, según su antigua costumbre de camarada y de osezno.

Miki, cazando con él, volvió a sentir que la soledad había huido una vez más de su mundo.

Capítulo XXV

EL INCENDIO DE LA SELVA

Para *Miki* y *Niva* y, sobre todo, para éste, no tenía nada de extraordinario el hecho de encontrarse cazando juntos en aquel valle lleno de sol y donde la vida volvía a vestirse con sus galas verdes de primavera. Aunque el oso había crecido mucho durante el invierno, su espíritu conservaba los mismos recuerdos y las mismas imágenes. Extraño a la serie de aventuras que habían agitado el invierno de *Miki, Niva* era el que aceptaba la situación más flemáticamente. Seguía alimentándose como si nada excepcional hubiera ocurrido durante los últimos cuatro meses, y cuando empezó a sentirse harto, se reunió con *Miki,* dejando a éste la iniciativa de sus andanzas, según su antigua costumbre.

Por su parte, el perro reanudó sus antiguos hábitos, como si la brecha practicada en su fraternidad hubiera sido de un día o de una semana en lugar de cuatro meses. Quizá se esforzó por informar al camarada de sus terribles aventuras: seguramente sintió el deseo de contar a su amigo el extraño modo que tuvo de encontrar a su antiguo dueño, Challoner, para volverle a perder en seguida; cómo había encontrado a las dos Nanettes y vivido con ellas algún tiempo, llegando a amarlas más que a nada en el mundo.

La antigua y lejana cabaña de Nanette, en el Nordeste, era lo que atraía ahora al perro, y se las arregló de manera que condujo a su compañero en aquella dirección durante su primera quincena de caza. No iban de prisa, a consecuencia sobre todo del apetito insaciable de *Niva,* que necesitaba diez o doce horas diarias para atiborrarse de raíces, yemas y hierbas. Durante la primera semana, *Miki* estuvo a punto de desesperar de aquellas hambres o de aborrecer la caza. Un día que mató cinco liebres, *Niva* devoró cuatro, y aún gruñía como un puerco pidiendo más.

Si en su infancia *Miki* habíase sorprendido y espantado a veces del apetito de *Niva,* calcúlese lo que sería ahora que, en materia de alimentación, era un abismo sin fondo. Por otra parte, el oso se mostraba más alegre que nunca, y en sus luchas amistosas vencía fácilmente a *Miki,* pues pesaba dos veces más que él.

Niva fue tomando poco a poco la costumbre de abusar de esta superioridad; saltaba cayendo sobre el perro cuando éste menos lo esperaba, lo echaba por tierra, sofocándolo bajo el enorme cojín de su grasa, y le sujetaba con sus brazos para impedirle defenderse. De vez en cuando se abrazaba a él más estrechamente y rodaban los dos largo rato.

Aunque *Miki* siempre llevaba las de perder en aquellos juegos, los encontraba encantadores, hasta un día en que traspasaron el borde de un profundo barranco y se derrumbaron por él en un verdadero alud de carne de perro y de oso.

Después de lo cual *Niva* estuvo mucho tiempo sin hacer rodar a su víctima.

Sin embargo, cuando *Miki* sentía deseos de hacerle una jugarreta, bastaba con hincarle ligeramente a *Niva* la punta de sus largos colmillos: el oso se levantaba instantáneamente, saltando como impulsado por un resorte.

Sentía un respeto profundo por los dientes de *Miki.*

Pero las mayores alegrías del perro eran cuando *Niva* se ponía de pie como un hombre. Entonces tenían lugar las acometidas serias. En cambio, cuando el oso se subía a un árbol para dormir la siesta, *Miki* se aburría, bostezando incansablemente junto al tronco.

Al principio de su tercera semana de vagar por el bosque, llegaron a la cabaña de Nanette. Nada había cambiado; el perro observó durante largo rato la casita muda, de la que no salía humo ni el más leve rumor de vida. Pero las ventanas aparecían rotas por alguna bestia del desierto.

Miki se acercó, y poniendo sus patas delanteras en el marco de una ventana, olfateó el interior de la vivienda. El olor de sus amos persistía allí, aunque tan tenue que casi no pudo percibirlo. La habitación grande estaba casi vacía. Sólo quedaba la estufa, la mesa y algunos muebles rudimentarios. Todo lo demás se lo habían llevado. Tres o cuatro veces, en la media hora siguiente, *Miki* se asomó a la ventana, y *Niva*, intrigado, hizo lo mismo. Percibió él también el ligero olor dejado en la cabaña y lo olfateó largo rato. Se parecía al que habían sentido al salir de su caverna, y, sin embargo, era distinto; era más sutil, más evanescente y menos desagradable.

Durante un mes *Miki* se obstinó en cazar por los alrededores de la cabaña, retenido por un encanto que no podía analizar ni comprender. *Niva* se prestó gustosamente durante algún tiempo a complacer a su amigo; pero luego, impaciente, se marchó y estuvo tres días vagabundeando a su gusto. *Miki*, para mantener la alianza, no tuvo más remedio que seguirle. Y cuando llegó la estación de las bayas, a principios de julio, estaban a sesenta millas al Noroeste de la cabaña, en los linderos del país natal de *Niva*.

Pero no hubo muchas bayas en aquel verano de *bebenak oum geda*, de sequía y de fuego. Desde mediados de junio, una bruma grisácea e impalpable empezó a cercenarse en ondas temblorosas sobre los bosques. Desde hacía tres semanas no había llovido. Las mimas noches eran de un calor abrasador. Cada día los factores inspeccionaban sus dominios con mirada inquieta, y el primero de agosto, en cada Puesto, una veintena de mestizos y de indios recorrían las pistas en previsión de incendios. Los habitantes de la selva que no habían ido a veranear a los Puestos aguardaban y vigilaban en sus cabañas. Por la mañana, al mediodía y por la tarde trepaban a los grandes árboles y miraban a través de la bruma para descubrir el menor indicio de humareda. Durante semanas enteras el viento sopló invariablemente del Sudoeste, seco, como si hubiera pasado sobre las áridas arenas de un desierto. Las moras secábanse en las zarzas; el fruto del serbal salvaje se abarquillaba en su tallo; los arroyos estaban exhaustos y los pantanos transformados en hornos de turba. Los álamos perdían sus hojas descoloridas y sin vida, demasiado débiles para temblar con la brisa.

Los habitantes de la selva no habían visto más que una vez o dos, en toda su vida, las hojas de los álamos abrasados de aquella manera por el sol de estío. Aquello era un *Kiskewahoun* o señal de peligro, presagio no sólo de muerte posible por el incendio, sino también de cazas mediocres para el invierno venidero.

Miki y *Niva* se encontraron en una comarca pantanosa cuando llegó el día 5 de agosto. En aquellos sitios bajos, el calor era sofocante. *Niva* llevaba la lengua fuera, y el perro jadeaba a lo largo de un arroyo negro e indolente, semejante a un gran foso lleno de agua tan muerta como la misma luz del día. El cielo se empurpuraba con un brillo siniestro, pero el sol permanecía invisible. Sus rayos no podían perforar la gran bruma que envolvía la tierra. *Miki* y *Niva* no fueron envueltos en aquella nube de oscuridad creciente, por encontrarse en una extensión de terreno accidentado, situado en un plano inferior a los alrededores.

Cinco millas más allá habrían podido oír el trueno de las pezuñas y los choques de los pesados cuerpos huyendo locamente ante la terrible amenaza del incendio. En vez de huir, ellos erraban tranquilamente por el pantano desecado; era mediodía cuando llegaron a la orilla, y franqueando un lindero de verdes árboles, ganaron la cima de una pequeña cresta. Ni uno ni otro habían sufrido aún la terrible prueba de los bosques ardiendo. Pronto iban a conocer aquel horror. Por otra parte, no tenían que ser iniciados. Los instintos acumulados de un millar de generaciones hicieron explosión en sus cerebros y en sus órganos.

Su mundo estaba bajo la garra de *Iskutao,* el demonio del Fuego. Un paño mortuorio, sombrío como la noche, lo envolvía todo al Sur, al Este y al Oeste, y por la otra parte del pantano que acababan de atravesar pudieron percibir las primeras volutas de llamas lívidas.

Ahora que habían salido de los terrenos bajos, el viento les traía una ráfaga ardiente, acompañada de un rugido sordo y monótono, como el de una lejana catarata. Esperaban y observaban tratando de orientarse, con el espíritu momentáneamente perdido en la gigantesca operación, por la cual el instinto se transforma en razonamiento e inteligencia.

Niva, como todos los osos, tenía la vista corta; no podía distinguir el negro torbellino de humo que refluía hacia ellos ni las llamas que se propagaban desde el terreno bajo. Pero podía olfatear. Contraía el hocico y se preparaba a emprender la fuga antes que el mismo *Miki*, que, a pesar de su vista de águila, permanecía como fascinado en el sitio.

El rumor del incendio venía de todas partes, pero particularmente del Sur, que fue de donde salió el primer torbellino de ceniza (silenciosa vanguardia del incendio) y después la primera nube de humo.

Entonces se volvió *Miki* hacia su amigo con un gemido extraño. Pero fue *Niva* el que emprendió primero la fuga. *Niva,* cuyos antepasados habían emprendido millares de veces en millares de siglos aquella carrera loca contra la muerte. El oso no echaba de menos una vista penetrante. Sabía a qué atenerse. Sabía lo que ocurría en el desierto, de qué parte estaba el peligro y cuál era el único sitio por donde podían salvarse. Olfateaba en el aire la proximidad de la muerte. Por dos veces el perro, que corría a su lado, pretendió desviar su carrera hacia el Este; pero el oso no le hizo caso. Con las orejas gachas, seguía corriendo en dirección al Norte. *Miki* se volvió tres veces, como para hacer frente al peligro terrible que les amenazaba, pero el oso siguió su carrera, yendo siempre hacia el Norte, donde están las alturas, las grandes extensiones de agua y las llanuras descubiertas.

No huían solos. Un reno se les adelantó, con la velocidad del viento.

"¡Aprisa, aprisa, aprisa! —gritábale a *Niva* su instinto—. Pero con prudencia, pues el reno, que va más ligero que las llamas, caerá pronto extenuado y será pasto de ellas. ¡Apresúrate, pero sin agotar tus fuerzas!"

Tranquilamente, estoicamente, *Niva* adoptó el paso de su marcha furtiva.

Un anta, procedente del Oeste, atravesó por delante de ellos echando el bofe y jadeando como si tuviera la garganta rota. Llevaba graves quemaduras y corría ciegamente al encuentro de la cortina de llamas oriental.

Por detrás y por ambos lados, las hordas flamígeras precipitaban su feroz y despiadada invasión, y el tributo mortal que imponían era una realidad tan vasta como espantosa. En los huecos de los árboles, bajo las matas, entre las altas y espesas ramas, y hasta en el seno de la tierra, las menudas criaturas de la selva buscaban un refugio y encontraban la muerte. Las liebres se convertían en saltadoras bolas de fuego que después se batían contraídas y carbonizadas; las martas se tostaban en sus árboles; las nutrias y los armiños se arrastraban hasta lo más profundo de sus madrigueras y se cocían a fuego lento. Los búhos elevábanse sobre la cima de los árboles, batían un instante sus alas en el aire inflamado y caían en el corazón de la inmensa hoguera. Ningún ser dejaba oír el menor sonido, salvo los puercos espines, que morían gritando como niños.

En el alto bosque, entre los abetos y los cedros cuyo espeso ramaje cargado de resina se incendiaba como una masa explosiva, el incendio se propagaba con un rugido terrible. Ningún hombre ni animal podían escapar en línea recta. De aquel mundo en conflagración, un solo grito, una plegaria única hubiera podido elevarse hacia el cielo: *¡Agua, agua, agua!* Donde había agua quedaba esperanza y vida. Las antipatías de raza y las enemistades instintivas de las bestias quedaban olvidadas en aquella hora de gran peligro: todo lago se convertía en un puerto de salvación.

Niva se dirigió hacia uno de aquellos refugios, guiado por un instinto infalible y por su olfato, sobreexcitado por los gruñidos y rugidos de la tempestad de fuego desencadenada tras él. *Miki* estaba completamente perdido; sus sentidos estaban embotados; sus narices no percibían ya más olor que el de un mundo en llamas, por lo que seguía ciegamente a su compañero.

El lago estaba envuelto por el fuego en su orilla occidental, y sus aguas ocupadas por una población compacta y heterogénea. Era un lago relativamente pequeño, casi redondo, que no mediría más de doscientos metros de diámetro. A poca distancia de la orilla se encontraban una veintena de renos y de antas, alguno de los cuales nadaban, y los demás estaban hundidos en el agua hasta la cabeza. Innumerables animales de otras especies, cuyas patas eran más cortas, iban sin objeto de un lado a otro, moviendo los remos sólo lo preciso para mantenerse a flote.

En la orilla, cerca del sitio donde *Miki* y *Niva* habíanse detenido, estaba un gran puerco espín que chillaba de una manera estúpida, como quejándose al mundo entero de haber sido interrumpido en su comida. Acabó por meterse en el agua. Algo más lejos, una nutria y un zorro se apretujaban contra la línea de agua, dudando si mojar su preciosa piel antes de que la muerte les pisara los talones. Y como para demostrarles la inminencia del peligro, otro zorro se arrastró agotado hasta la orilla, empapado como un trapo por su huida a nado de la orilla opuesta, donde las llamas formaban ya una barrera infranqueable. Y mientras aquel zorro emergía del lago para ponerse en seguridad, un viejo oso, dos veces más grande que *Niva,* saliendo ruidosamente y jadeando del bajo bosque, se zambullía y nadaba. Otras criaturas más pequeñas se deslizaban y se amontonaban en la orilla: delicados armiños de ojos rojos, martas, nutrias, liebres, ardillas, charlatanas marmotas y todo un pueblo de ratones. Al fin, *Niva* penetró lentamente en el agua junto a todas aquellas bestias que tan glotonamente hubiese devorado en otras circunstancias.

Miki le siguió hasta que el agua le cubrió el lomo y luego se detuvo. El fuego estaba ahora muy cerca y avanzaba con la velocidad de un caballo de carreras. Nubes de humo y de ceniza subían por encima del cinturón de grandes árboles que protegían el lago, el cual no tardó en ser alcanzado y transformado en un caos de negrura, humo y calor de donde se elevaban gritos extraños y vibrantes: el balido de una joven anta condenada a muerte, y el terrible mugido con que le correspondía su madre; el aullido de agonía de un lobo; el ladrido angustioso de un zorro y, por encima de todo, el horrible chillido de una pareja de somorgujos cuya morada se había transformado en un horno.

A través del humo espeso y el calor creciente, *Niva* lanzó su llamamiento ordinario a *Miki* en el momento que perdía pie, y *Miki,* respondiendo con un gemido, zambullóse en su seguimiento y se puso a nadar tan cerca de su grande hermano negro, que su morro le tocaba el flanco.

En el centro del lago, *Niva* imitó lo que hacían todos los demás seres vivientes refugiados allí: pedalear lo suficiente para mantenerse a flote. Pero el pobre *Miki,* con su gran cantidad de huesos y desprovisto de grasa que le mantuviera a flote, encontraba la tarea menos fácil. Obligado a nadar para permanecer en la superficie, dio varias vueltas aldededor de *Niva,* hasta que al fin, pareciendo encontrar la solución del problema, se acercó a su amigo y le puso tranquilamente sus patas sobre el lomo.

El lago estaba ahora rodeado de llamas por todas partes que devoraban rápidamente los árboles henchidos de resina y subían en el espacio hasta cincuenta pies de altura, haciendo el aire irrespirable. El rugido de esta conflagración era ensordecedor y ahogaba los gritos de agonía de todos los seres allí refugiados. El calor era espantoso. *Miki,* durante algunos terribles minutos, creyó respirar fuego. *Niva,* por instinto, hundía de vez en cuando su cabezota en el agua, pero el perro no le imitaba. Lo mismo que el lobo, el zorro, el lince y la nutria, estaba en su naturaleza preferir la muerte antes que una inmersión completa.

El incendio, por fortuna, pasó con la rapidez con que había venido. En lugar de las murallas de verdura de antes, erguíanse por doquier muñones contraídos y carbonizados. Y el rugir del incendio se fue convirtiendo, poco a poco, en un leve crepitar muriente y lánguido.

Las criaturas supervivientes fuéronse acercando lentamente a las orillas ennegrecidas y abrasadas. La mayoría de los animales que se habían refugiado en el lago habían perecido. Los puercos espines, entre ellos, habíanse ahogado todos.

A poca distancia de la orilla, la tierra ardía, y los animales tuvieron que permanecer en agua poco profunda durante el resto de aquel día y la noche siguiente. Sin embargo, ninguno de ellos pensó en hacer presa de su vecino. El gran peligro había unido a todas las bestias en una vasta familia.

Poco antes de la aurora se consumó la derrota del fuego. Cayó una lluvia torrencial, y cuando el sol brilló en un cielo sucio, no quedaba ningún vestigio de las animadas escenas a las cuales el lago había servido de teatro, salvo los cadáveres de animales flotando en su superficie o yaciendo en sus orillas. Los actores, entre ellos *Niva* y *Miki,* habían vuelto a internarse en el desierto arrasado.

CAPÍTULO XXVI

EN FAMILIA

Durante muchos días después del gran incendio fue *Niva* quien guió a su amigo. Su mundo no era más que una desolación negra e inanimada y *Miki* no habría sabido hacia dónde dirigir sus pasos... Si hubiese sido un incendio local, de reducida extensión, a fuerza de vagabundear hubiera acabado por salir de la ruta carbonizada. Pero la conflagración había sido inmensa. Arrasó una vasta extensión del país, y para la mitad de las criaturas que habían logrado refugiarse en los lagos y los ríos no quedaba actualmente otra perspectiva que morir de hambre.

Pero para *Niva* y los seres de su especie no regía esta regla. Lo mismo que no había tenido la menor duda en la marcha y orientación de su huida ante el fuego, tampoco vaciló un instante sobre la dirección a tomar para volver a hallar seres vivientes.

Se dirigió hacia el Noroeste como una flecha. Cuando un lago les cortaba el camino, el oso lo costeaba hasta llegar a la orilla opuesta, y entonces emprendía con su camarada la misma ruta del Noroeste. Marchaban sin interrupción, día y noche, con breves descansos para tomar aliento. Y en la aurora del segundo día, el perro estaba más extenuado que su camarada.

Diversos síntomas indicaban que a partir de aquel punto el fuego comenzaba a extinguirse. Encontraban bosquecillos de árboles verdes, pantanos intactos y hasta trozos de praderas verdeantes.

Hacían francachela en aquellos oasis, refugios de una multitud de presas más fáciles unas que otras de comer y devorar. Pero el oso, con gran asombro de su compañero, se negó, por primera vez en su vida, a detenerse mucho tiempo en un sitio donde abundaba la comida.

Y al sexto día de marcha se encontraban a cien millas del lago donde se refugiaron contra el incendio.

Era una comarca maravillosa, donde las altas frondosidades alternaban con vastas llanuras llenas de lagos y riachuelos, cortada por toda una red de *usavos* (pequeñas crestas bajas) que formaban el mejor terreno de caza. Como estaba bien regada, pues el agua corría entre las crestas y de lago en lago, no había sufrido la sequía como la región meridional. Durante un mes, *Miki* y *Niva* cazaron en este nuevo edén hasta llegar a ponerse gordos y prósperos.

Un día de septiembre encontraron una extraña construcción a la orilla de un pantano. *Miki* creyó al principio que se trataba de una cabaña. Pero más pequeña que una choza, apenas mayor que la cerca donde le tuvo prisionero Jacobo *el Hermoso,* estaba construida de pesados troncos, empotrados de tal modo que nada podría moverlos; tales troncos, en lugar de unirse, estaban separados por intersticios de seis a ocho pulgadas, y había una puerta abierta de par en par. De aquel extraño edículo emanaba un fuerte olor de pescado podrido.

Aquel hedor repugnaba a *Miki,* pero constituía un poderoso atractivo para *Niva,* que persistía en entretenerse por aquellas proximidades, a pesar de los esfuerzos del perro por alejarse de allí. Finalmente, disgustado del mal gusto de su camarada, *Miki* acabó por alejarse para cazar solo.

Pasó algún tiempo antes de que *Niva* arriesgara la cabeza y los hombros en la abertura. La pestilencia del pescado hacía brillar sus ojillos. Se aventuró con precaución en el interior de aquel curioso cercado. No ocurrió nada. Vio el pescado, tanto como él podía comer, al otro extremo de una tabla sobre la cual tenía que hacer presión para alcanzarlo. Se aproximó a ella resueltamente, apoyóse, y... *¡cataplún!...*

Se volvió como si hubiera recibido un tiro. En el sitio por donde había entrado no había ya abertura. Una puerta suspendida, a la cual la tabla servía de pestillo, acababa de caer, dejando a *Niva* prisionero.

No se irritó. Aceptó la situación con la mayor tranquilidad del mundo, convencido sin duda en su fuero interno de que habría en algún sitio, por entre los troncos, un espacio suficiente para deslizarse. Después de algunos husmeos inquisitivos se puso a devorar el pescado.

Estaba absorto en su fragante festín, cuando surgió un indio de un bosquecillo de cedros enanos que había a unos metros, y después de apreciar la situación, volvió la espalda y desapareció.

Media hora después, aquel indio llegaba corriendo a una explanada donde se elevaban los edificios recientemente construidos de un nuevo Puesto, y se dirigió hacia los almacenes de la Compañía. En una oficina cuyo suelo estaba cubierto de pieles, un blanco se inclinaba amorosamente hacia una mujer. El indio, al verlos, sonrió. *Sakewawine* (la pareja amorosa) era el nombre dado por las gentes del puesto de Lac Bain a aquel hombre y a aquella mujer que les habían dado un gran festín cuando el misionero los casó no hacía mucho tiempo.

El hombre y la mujer se irguieron al entrar el indio, a quien la dama acogió con una sonrisa. Era hermosa. Sus ojos brillaban y sus mejillas estaban en flor. El indio expresó en su rostro una especie de adoración por ella.

—¡Ya hemos cogido un oso! —dijo—. Pero es *Napao* (un macho). No hay osezno, *Iskwao* Nanette.

El hombre blanco se echó a reír.

—¿No tendremos la suerte de encontrarte un osezno para que juegues con él, Nanette?... —preguntó—. ¡Hubiera jurado que aquella madre y su hijo eran fáciles de coger!... ¿Un oso macho?... Tendremos que soltarle, *Mutag*. Su piel para nada nos sirve. ¿Quieres venir con nosotros a ver la operación, Nanette?...

Ella hizo un signo con la cabeza acompañado de una sonrisa que expresaba toda la alegría del amor y de la vida.

—¡Sí, será divertido verle marchar!

Challoner tomó la delantera con un hacha en la mano, dando la otra a Nanette. *Mutag* les seguía con su fusil, presto a cualquier eventualidad. Detrás de la espesa cortina de cedros, Challoner se detuvo para observar, y después separó las ramas con objeto de que Nanette pudiese ver la jaula y el prisionero. Durante uno o dos minutos ella retuvo el aliento mirando a *Niva,* que se paseaba de un lado a otro, muy excitado ahora. De pronto, la mujer lanzó un ligero grito, y Challoner sintió que le clavaba las uñas en la mano. Antes de que pudiese prever lo que iba a hacer, Nanette se precipitó a través de los cedros.

Contra la prisión de troncos, fiel a su camarada en la hora del peligro, estaba echado *Miki*. Exhausto por haber socavado el suelo bajo los troncos, no había oído llegar a nadie hasta el momento de percibir a Nanette a menos de veinte pasos.

El corazón le saltó a la jadeante garganta. Hizo un esfuerzo como para tragar un gran bocado. Miró fijamente un instante y después, con un súbito gemido lleno de contenido deseo, se lanzó hacia ella.

Challoner, dejando escapar un alarido de angustia, llegó saltando con el hacha en alto. Pero ya el perro estaba en los brazos de Nanette. Challoner dejó caer su arma con la mayor de las estupefacciones, y profirió esta sola palabra:

—*¡Miki!...*

Mutag, con aire de estúpido asombro, vio al hombre y a la mujer apresurarse en torno a una bestia de aspecto extraño y salvaje, que le hizo el efecto de no ser buena más que para matarla. Todos habían olvidado al oso. *Miki,* enloquecido de alegría por haber encontrado a su amo y a su amada dueña, no pensaba en nada. Fue un prodigioso gruñido de *Niva* lo que volvió la atención sobre él. Como un relámpago, *Miki* retrocedió a la jaula y se puso a olfatear el hocico del oso por entre dos troncos, deshaciéndose en coletazos, como si quisiera explicarle lo que había ocurrido.

Challoner se acercó lentamente a la trampa. En su cerebro surgía una idea que le hacía olvidar todo lo que no fuera aquel gran monstruo negro encerrado allí. Era imposible que *Miki* se hubiera hecho amigo de una fiera, a no ser el osezno de antaño.

De pronto, el observador contuvo su aliento. *Miki* acababa de meter la punta de su negra nariz por entre dos troncos, ¡y lamía al oso!

Challoner tendió la mano hacia Nanette y cuando ella estaba junto a él le mostró la escena durante unos instantes, sin poder pronunciar palabra.

Después dijo:

—Es el osezno, Nanette, ¿sabes?..., el osezno de que yo te he hablado tantas veces. Se han hecho compañía durante todo este tiempo, desde que maté a la osa madre y los até a los dos con un cabo de cuerda. Ahora comprendo por qué *Miki* nos abandonó en la cabaña. Lo hizo para volver con el oso.

EPÍLOGO

Si partiendo del Paso (1) vais hoy en derechura al Norte y ponéis a flote vuestra piragua en el río del Rat o en los afluentes de la Grassberry, podréis remar o dejaros llevar por la corriente descendiendo por el río Caribú y bordeando la costa oriental de este nombre, hasta llegar al Cochrane y al Puesto del Lac Bain. Es una de las regiones más maravillosas de todo el país del Norte. Tres centenares de indios, de mestizos y de franceses van allí a vender sus pieles. Y entre ellos no existe un hombre, una mujer o un niño que no conozca la historia enternecedora *del oso amaestrado del Lac Bain,* el favorito del *Ángel Blanco,* la mujer del factor.

El oso lleva un bonito collar, y vagabundea a su gusto en compañía de un perrazo enorme; sin embargo, como se ha hecho grande y gordo, nunca se aleja mucho del Puesto. Es una ley no formulada, pero respetada en todo el país, que nadie debe hacerle daño, y que ninguna trampa de oso debe colocarse a menos de cinco millas de los edificios de la Compañía.

El oso nunca se aleja más allá de esta distancia. Cuando llega el invierno y siente que le invade su prolongado sueño, se desliza en una caverna profunda y tibia, que ha sido hecha para él bajo el almacén de la Compañía.

Pero en todo tiempo, al llegar la noche, *Miki,* el perro, se va a dormir junto a él.

(1) Actualmente importante ramal del ferrocarril de la bahía de Hudson. ***(Nota del Autor.)***